KIDS 키즈 수학 전문가가 만든 연산 교재

원리셈

덧셈과 뺄셈

교과 과정 완벽 대비
수학 전문가가 만든 연산 교재
다양한 형태의 문제로 재미있게 연습하는 원리셈

지은이의 말

수학은 원리로부터

수학은 구체물의 관계를 숫자와 기호의 약속으로 나타내는 추상적인 학문입니다. 이 점이 아이들이 수학을 어려워하는 가장 큰 이유입니다. 이러한 수학은 제대로 된 이해를 동반할 때 비로소 힘을 발휘할 수 있습니다. 수학은 어느 단계에서나 원리가 가장 중요합니다.

수학 교육의 변화

답을 내는 방법만 알아도 되는 수학 교육의 시대는 지나고 있습니다. 연산도 한 가지 방법만 반복 연습하기 보다 다양한 풀이 방법이 중요합니다. 교과서는 왜 그렇게 해야 하는지 가르쳐 주고 다양한 방법을 생각하도록 하지만, 학생들은 단순하게 반복되는 연습에 원리는 잊어버리고 기계적으로 답을 내다보니 응용된 내용의 이해가 부족합니다.

연산 학습은 꾸준히

유초등 학습 단계에 따라 4권~6권의 구성으로 매일 10분씩 꾸준히 공부할 수 있습니다. 원리와 다양한 방법의 학습은 그림과 함께 재미있게, 연습은 다양하게 진행하되 마무리는 집중하여 진행하도록 했습니다. 부담 없는 하루 학습량으로 꾸준히 공부하다 보면 어느새 연산 실력이 부쩍 늘어난 것을 알 수 있습니다.

개정판 원리셈은

동영상 강의 확대/초등 고학년 원리 학습 과정 강화 등으로 원리와 개념, 계산 방법을 더 쉽게 이해할 수 있도록 하고, 연습을 강화하여 학습의 완성도를 더했습니다.

학부모님들의 연산 학습에 대한 고민이 원리셈으로 해결되었으면 하는 바람입니다.

지은이 천종현

원리셈의 특징

원리셈의 학습 구성

한 권의 책은 매일 10분 / 매주 5일 / 6주 학습

원리셈의 시나브로 강해지는 학습 알고리즘

키즈 원리셈은

시작은 원리의 이해로부터, 마무리는 충분한 연습과 성취도 확인까지

체계적인 학습 구성

쉽게 이해하고 스스로 공부!
실수가 많은 부분은 별도로 확인하고 연습!
주제에 따라 실전을 위한 확장적 사고가 필요한 내용까지!
원리로 시작되는 단계별 학습으로 곱셈구구마저 저절로 외워진다고 느끼도록!

원리셈 전체 단계

키즈 원리셈

5·6세	
1권	5까지의 수
2권	10까지의 수
3권	10까지의 수 세어 쓰기
4권	모아 세기
5권	빼어 세기
6권	크기 비교와 여러 가지 세기

6·7세	
1권	10까지의 더하기 빼기 1
2권	10까지의 더하기 빼기 2
3권	10까지의 더하기 빼기 3
4권	20까지의 더하기 빼기 1
5권	20까지의 더하기 빼기 2
6권	20까지의 더하기 빼기 3

7·8세	
1권	7까지의 모으기와 가르기
2권	9까지의 모으기와 가르기
3권	덧셈과 뺄셈
4권	10 가르기와 모으기
5권	10 만들어 더하기
6권	10 만들어 빼기

초등 원리셈

1학년	
1권	받아올림/내림 없는 두 자리 수 덧셈, 뺄셈
2권	덧셈구구
3권	뺄셈구구
4권	□ 구하기
5권	세 수의 덧셈과 뺄셈
6권	(두 자리 수)±(한 자리 수)

2학년	
1권	두 자리 수 덧셈
2권	두 자리 수 뺄셈
3권	세 수의 덧셈과 뺄셈
4권	곱셈
5권	곱셈구구
6권	나눗셈

3학년	
1권	세 자리 수의 덧셈과 뺄셈
2권	(두/세 자리 수)×(한 자리 수)
3권	(두/세 자리 수)×(두 자리 수)
4권	(두/세 자리 수)÷(한 자리 수)
5권	곱셈과 나눗셈의 관계
6권	분수

4학년	
1권	큰 수의 곱셈
2권	큰 수의 나눗셈
3권	분모가 같은 분수의 덧셈과 뺄셈
4권	소수의 덧셈과 뺄셈

5학년	
1권	혼합 계산
2권	약수와 배수
3권	분모가 다른 분수의 덧셈과 뺄셈
4권	분수와 소수의 곱셈

6학년	
1권	분수의 나눗셈
2권	소수의 나눗셈
3권	비와 비율
4권	비례식과 비례배분

키즈 원리셈의 단계별 학습 목표

초등학교 입학 준비는 키즈 원리셈으로!!

키즈 원리셈 단계를 고를 때는 아이의 배경지식에 따라 아래의 학습 목표를 참고하세요.

5·6세 단계

수와 연산을 처음 접하는 아이들을 위한 단계
수를 익히고, 덧셈, 뺄셈을 이해
덧셈, 뺄셈 기호는 나오지 않지만, 덧셈, 뺄셈의 상황을 그림으로 제시
필기를 최소화 / 붙임 딱지 이용
매주 마지막 5일차에는 재미있게 사고력 키우기 "사고력 팡팡 "

6·7세 단계

10까지의 수를 알지만 덧셈, 뺄셈을 처음 하는 아이들을 위한 단계
1에서 20까지의 수를 익히면서 더하기 빼기 1, 2, 3
수를 똑바로 세면 덧셈, 거꾸로 세면 뺄셈이라는 것을 이해하고 연산에 이용
수 세기를 먼저 배운 후, 같은 개념을 덧셈, 뺄셈에 적용
10이 넘어가는 덧셈도 받아올림을 하는 것이 아니라 수의 순서로 이해

7·8세 단계

한 자리 덧셈, 뺄셈의 개념은 있지만 연습이 필요한 아이들을 위한 단계
초등 1학년 1학기 교과에 해당하는 내용
가르기와 모으기를 충분하게 연습하면서 속도와 정확성을 올릴 수 있는 단계
1권~4권은 가르기와 모으기를 연습한 후 덧셈, 뺄셈의 개념으로 확장하여 연습
5권은 받아올림, 6권은 받아내림의 원리를 아주 쉽게 풀어놓아서 받아올림과 받아내림을 처음 배우는 아이들에게 강추!!

7·8세 단계 구성과 특징

1~4권은 가르기 모으기를 기본으로 받아올림, 받아내림 없는 한 자리 덧셈, 뺄셈을 연습하고, 5, 6권에서 각각 받아올림, 받아내림이 있는 한 자리 덧셈, 뺄셈의 원리를 배웁니다. 초등 입학을 준비할 수 있는 교재로 교과서로는 초등 1학년 1학기 내용을 주로 담고 있습니다.

원리

구체물을 그림으로 보고, 동그라미를 그리는 등 원리를 직관적으로 이해하고 쉽게 공부할 수 있도록 하였습니다.

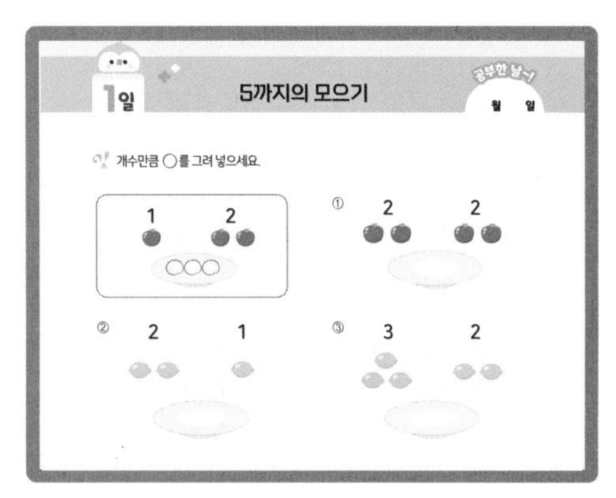

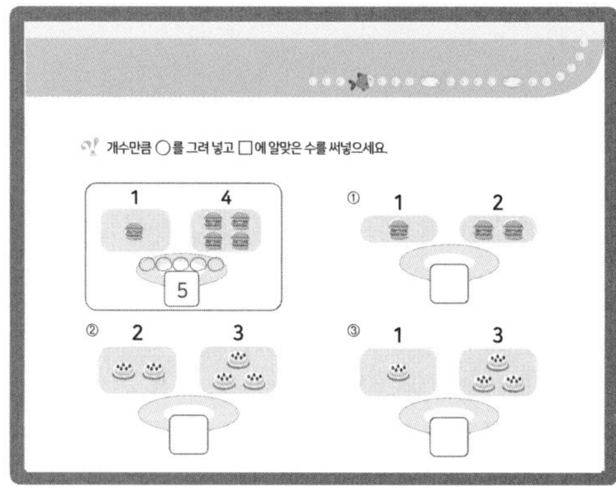

연습

학습 순서는 원리를 생각하며 연습할 수 있도록 배치하였고, 이해를 도울 수 있는 그림과 함께 연습한 후, 숫자와 기호로 된 문제도 꾸준히 반복할 수 있도록 하였습니다.

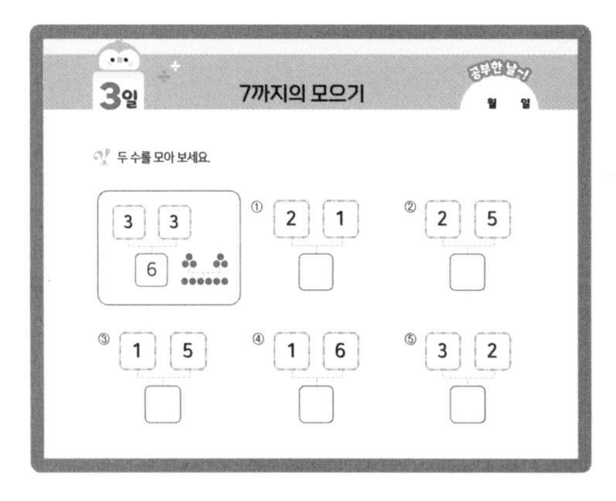

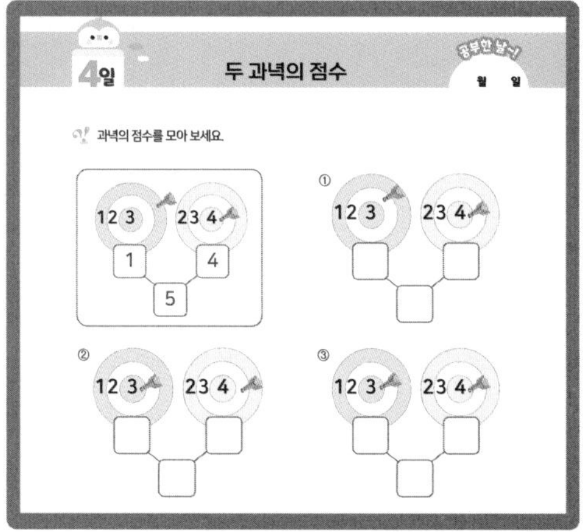

사고력 연산

수학은 규칙의 학문입니다. 사고력 연산의 시작은 새로운 규칙을 이해하고 적용하는 것으로부터 시작합니다. 연산의 개념을 기본으로 사고를 확장할 수 있도록 하였습니다.

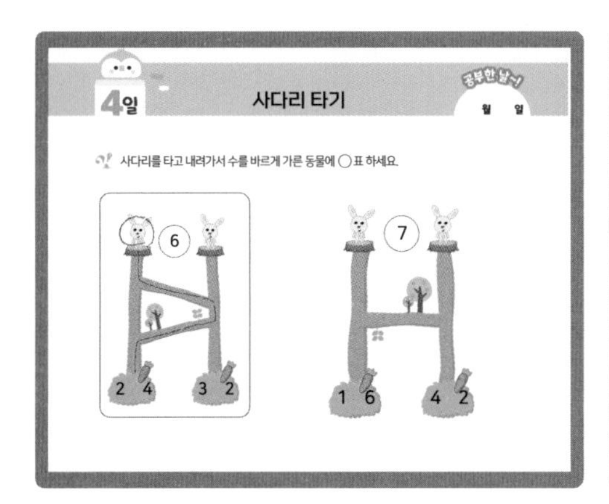

도전! 계산왕

주제가 구분되는 두 개의 단원은 정확성과 빠른 계산을 위한 집중 연습으로 주제를 마무리 합니다.

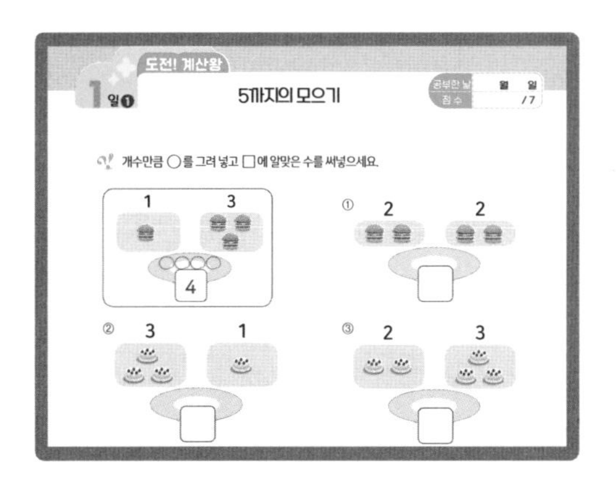

성취도 평가

개념의 이해와 연산의 수행에 부족한 부분은 없는지 성취도 평가를 통해 확인합니다.

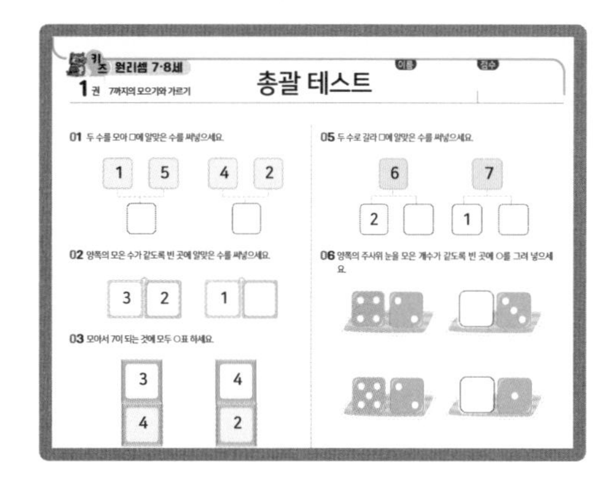

책의 사이사이에 학생의 학습을 돕기 위한 저자의 내용을 잘 이용하세요.

단원의 학습 내용과 방향

한 주차가 시작되는 쪽의 아래에 그 단원의 학습 내용과 어떤 방향으로 공부하는지를 설명해 놓았습니다.
학부모님이나 학생이 단원을 시작하기 전에 가볍게 읽어 보고 공부하도록 해 주세요.

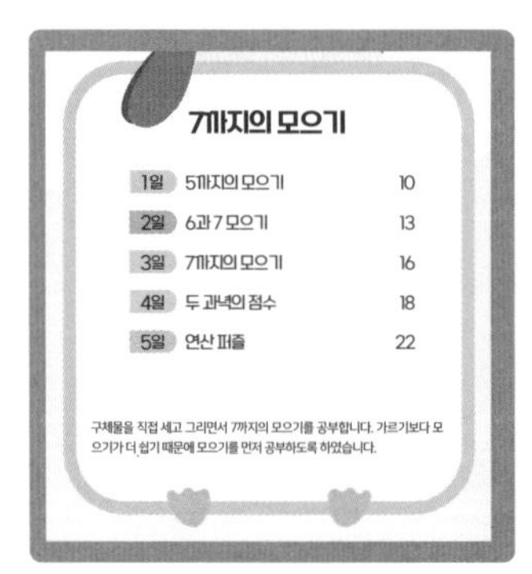

7까지의 모으기

구체물을 직접 세고 그리면서 7까지의 모으기를 공부합니다. 가르기보다 모으기가 더 쉽기 때문에 모으기를 먼저 공부하도록 하였습니다.

이해를 돕는 저자의 동영상 강의

공부를 시작하기 전에 표지의 QR코드를 확인하세요. 책의 학습 흐름과 목표, 그리고 그동안 원리셈을 먼저 공부한 아이들이 겪은 어려움에 대한 대처 방안 등을 설명해 줍니다.

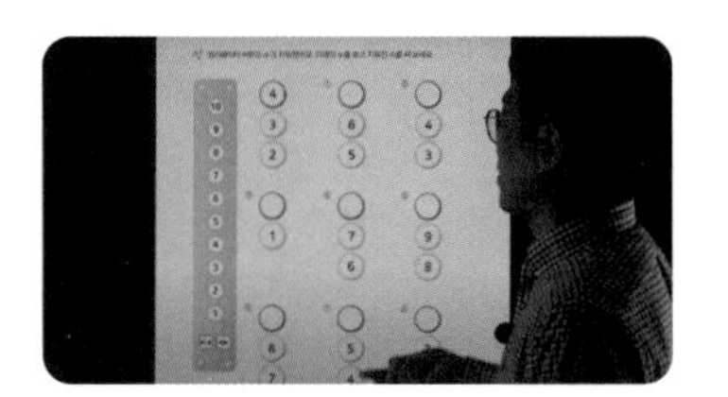

학습 Tip

간략한 도움글은 각 쪽의 아래에 있습니다.

천종현수학연구소 네이버 카페와 홈페이지를 활용하세요.

카페와 홈페이지에는 추가 문제 자료가 있고, 연산 외에서 수학 학습에 어려움을 상담 받을 수 있습니다.

네이버에서 천종현수학연구소를 검색하세요.

두 수의 덧셈

모으기로 익힌 개념을 덧셈 기호를 사용하여 덧셈식으로 나타내고 계산해 봅니다. 모으기와는 다르게 덧셈에서는 0을 더하는 개념을 익히고 공부하게 됩니다. 5일차에 문장제가 처음 나옵니다.

덧셈식 세우기

□에 알맞은 수를 써넣으세요.

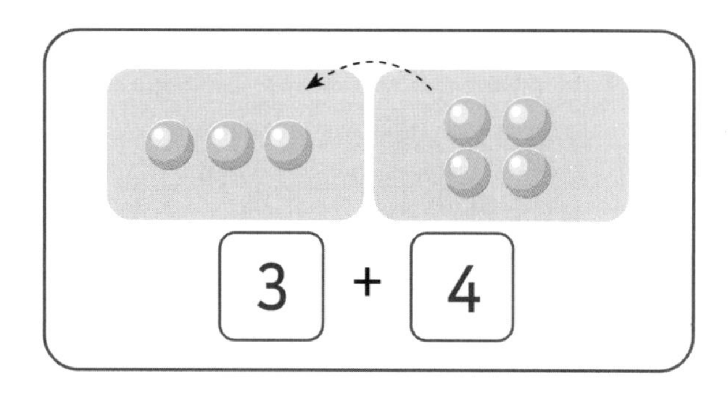

3 + 4

① 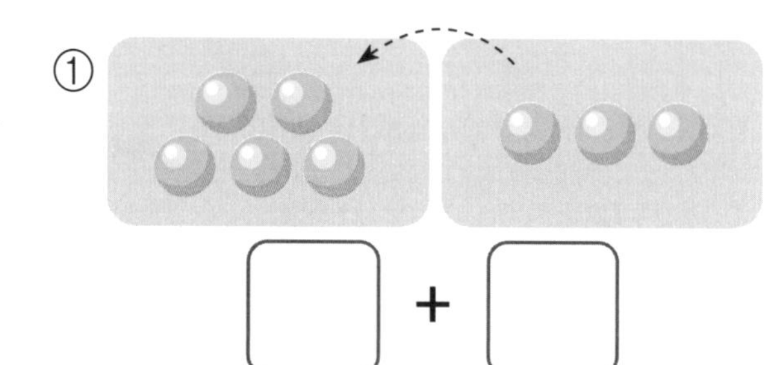

□ + □

② 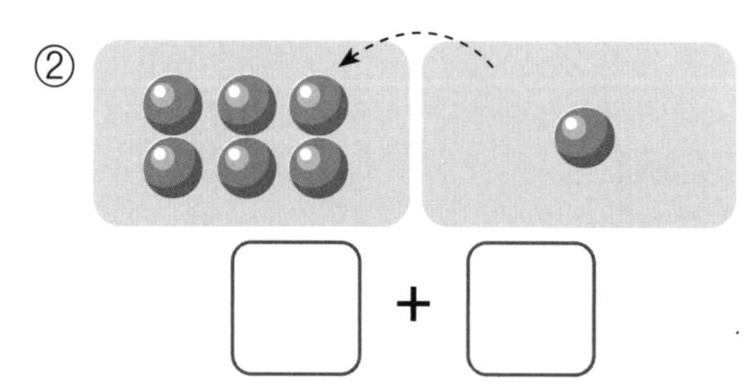

□ + □

③ 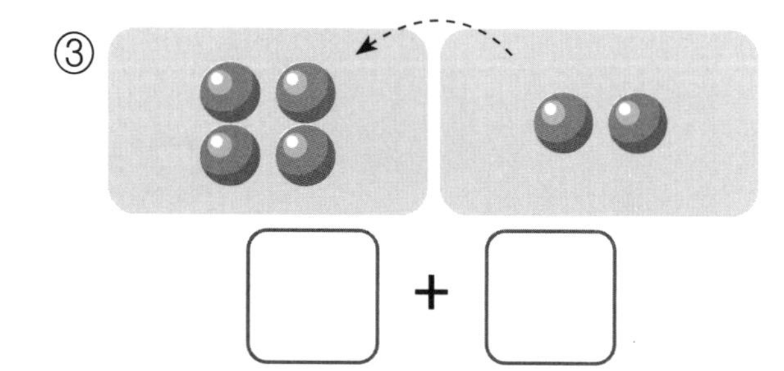

□ + □

④ 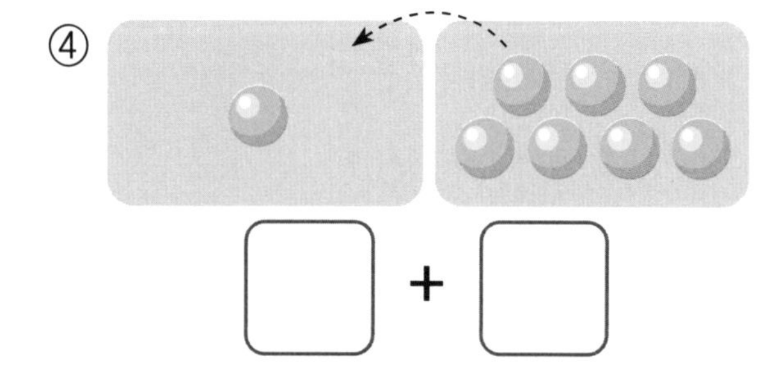

□ + □

⑤ 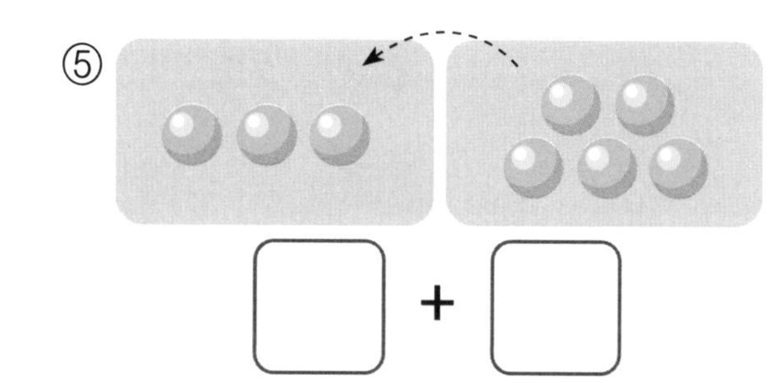

□ + □

⑥ 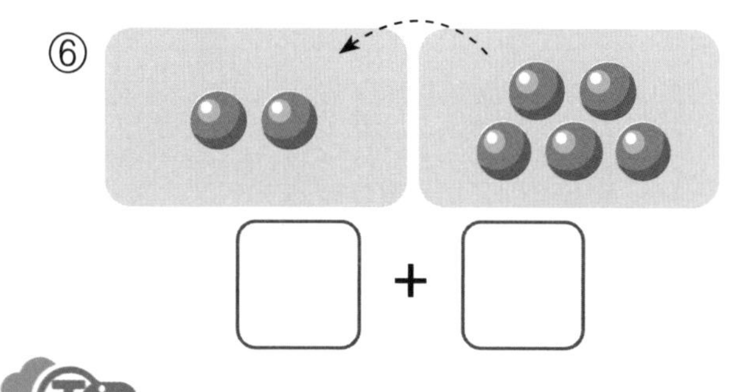

□ + □

⑦ 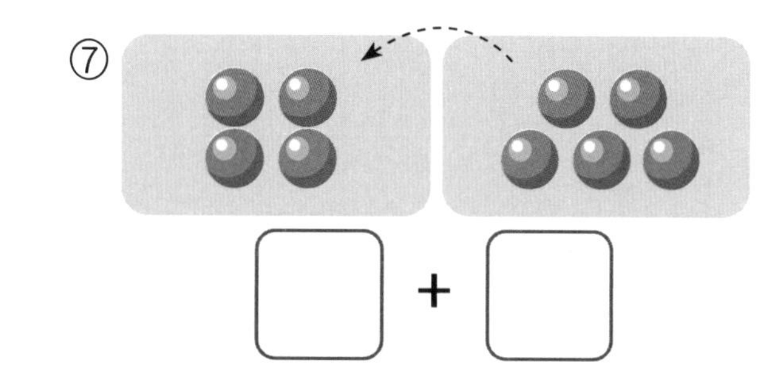

□ + □

Tip

2+1은 "2 더하기 1" 또는 "2와 1의 합"이라고 읽습니다.

□에 알맞은 수를 써넣으세요.

①

□ + □

②

□ + □

③

□ + □

④

□ + □

⑤

□ + □

⑥

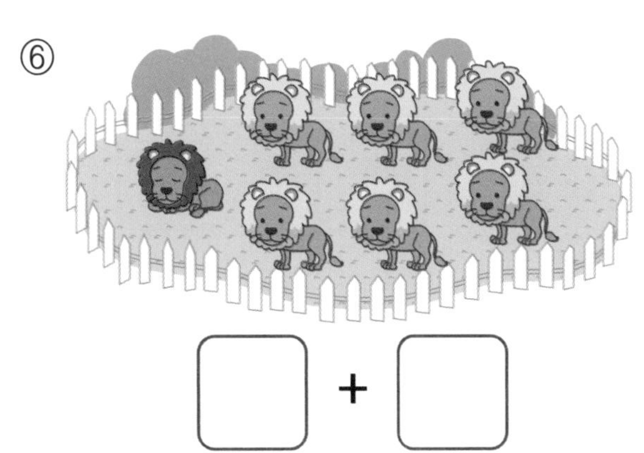

□ + □

□에 알맞은 수를 써넣으세요.

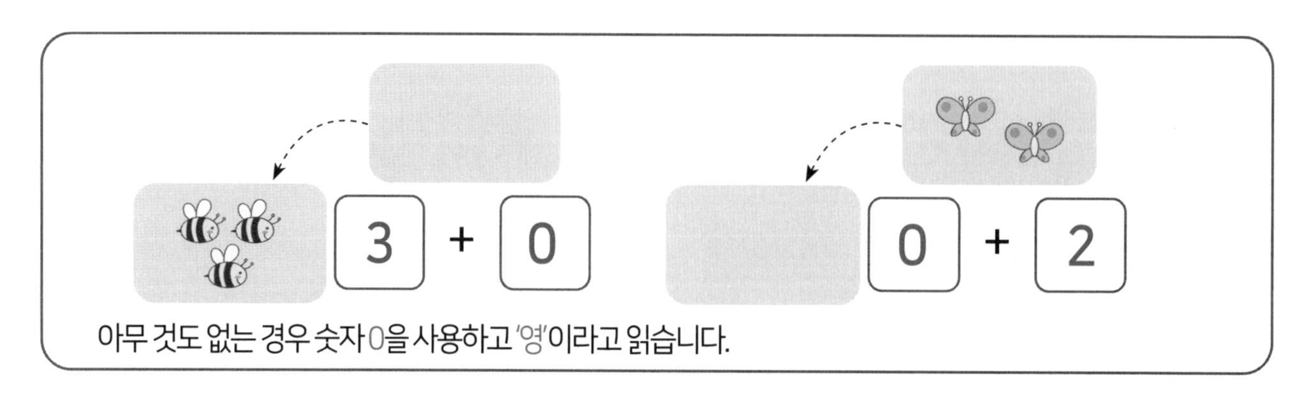

아무 것도 없는 경우 숫자 0을 사용하고 '영'이라고 읽습니다.

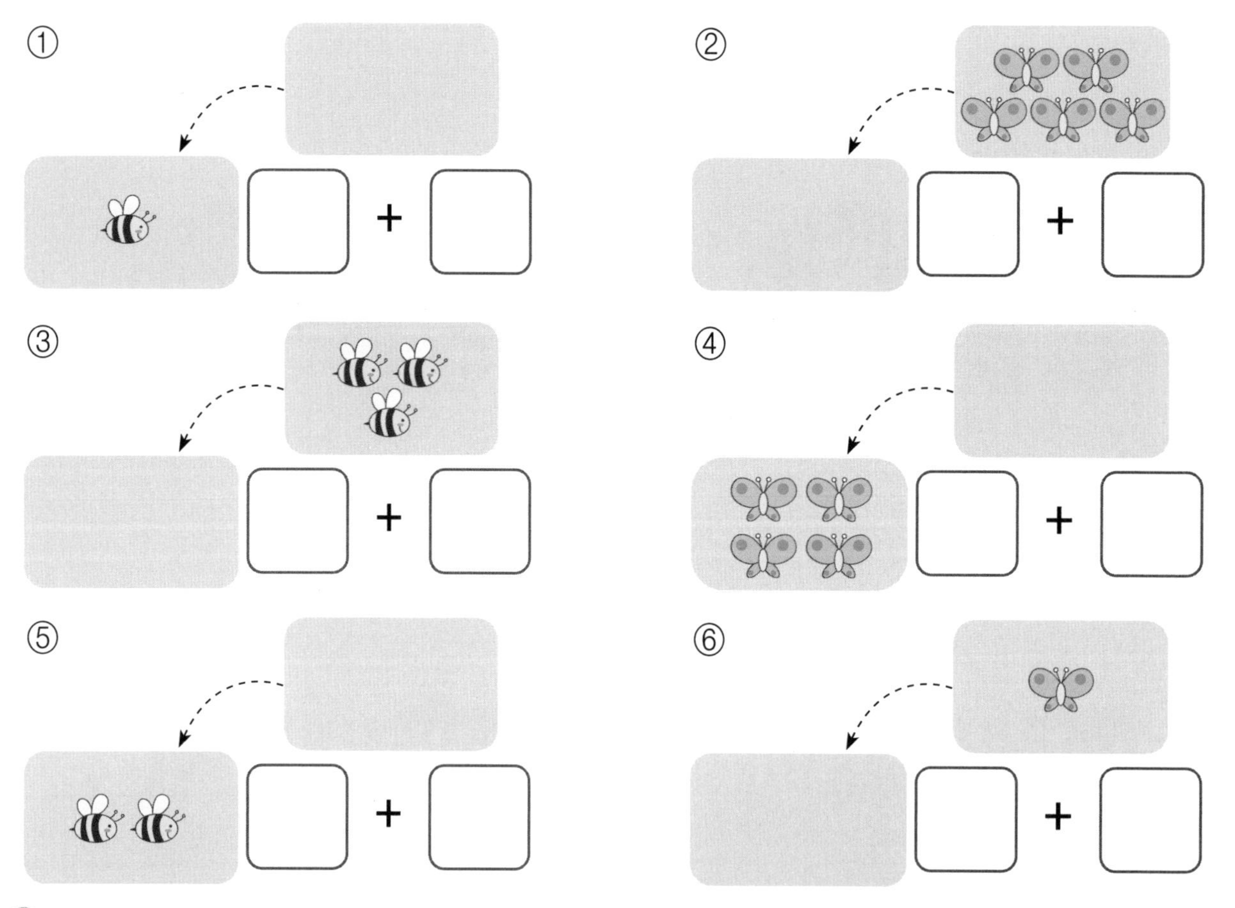

Tip

가르기와 모으기는 구체물을 대상으로 하기 때문에 0을 사용하지 않지만 덧셈과 뺄셈에서는 0의 의미를 알고 연산에서 사용하기 시작합니다.

덧셈식 계산하기

□에 알맞은 수를 써넣으세요.

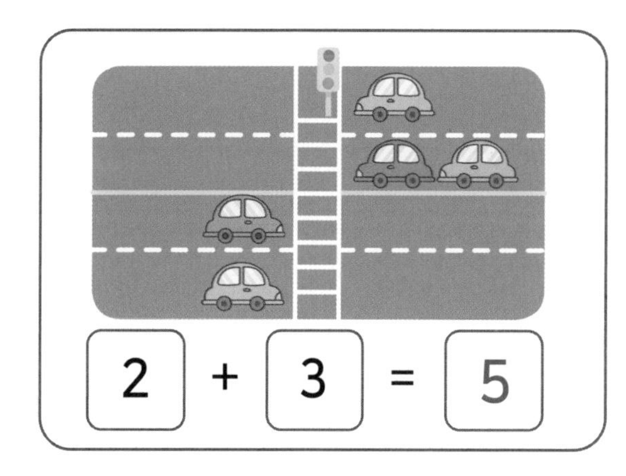

①

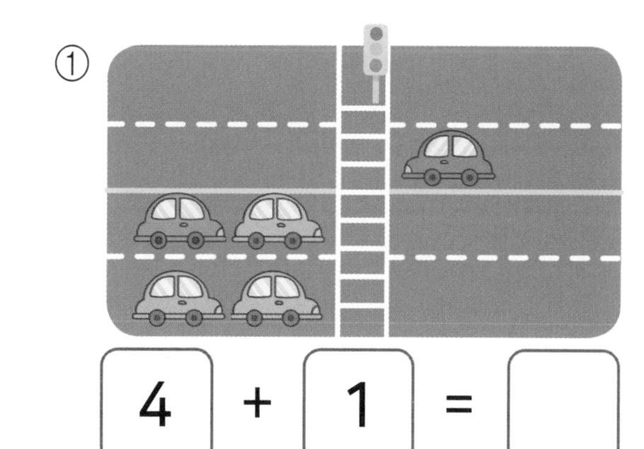

②

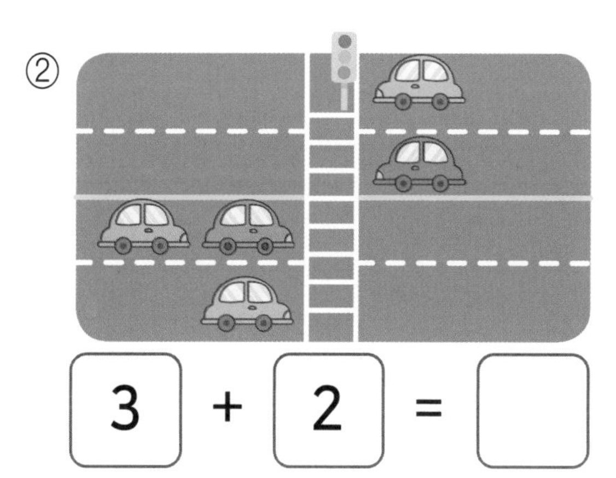

③

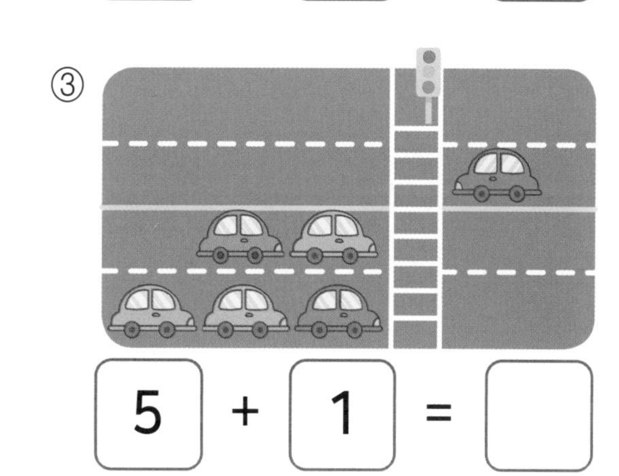

④

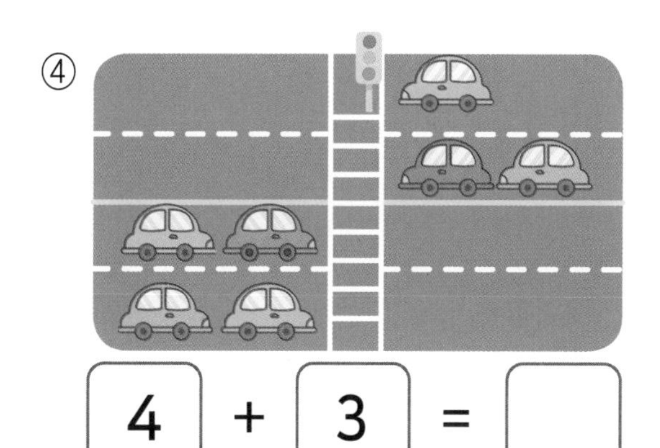

⑤

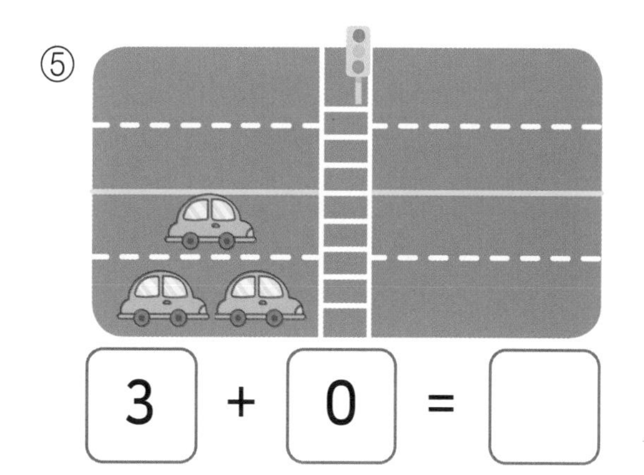

Tip 2+1=3은 "2 더하기 1은 3과 같습니다." 또는 "2와 1의 합은 3입니다."이라고 읽습니다.

□에 알맞은 수를 써넣으세요.

①

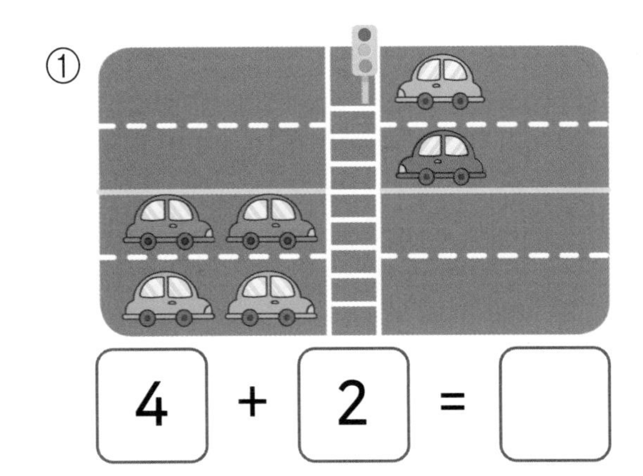

4 + 2 = □

②

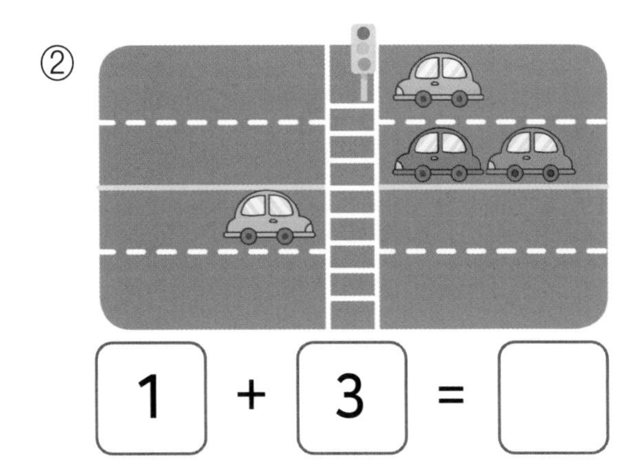

1 + 3 = □

③

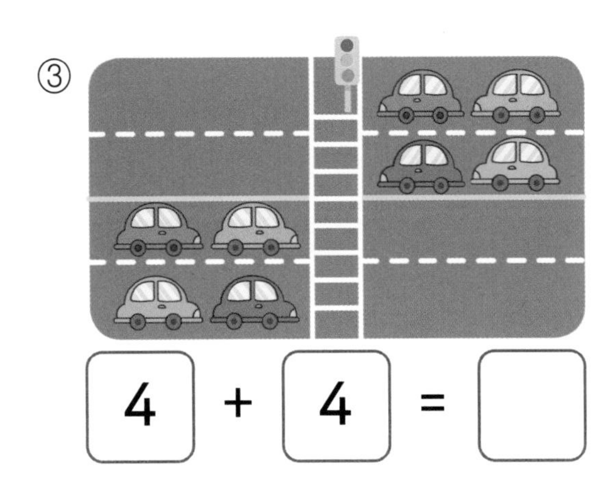

4 + 4 = □

④

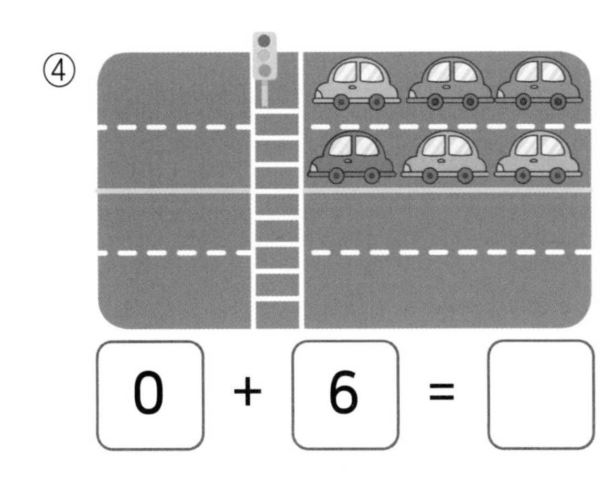

0 + 6 = □

⑤

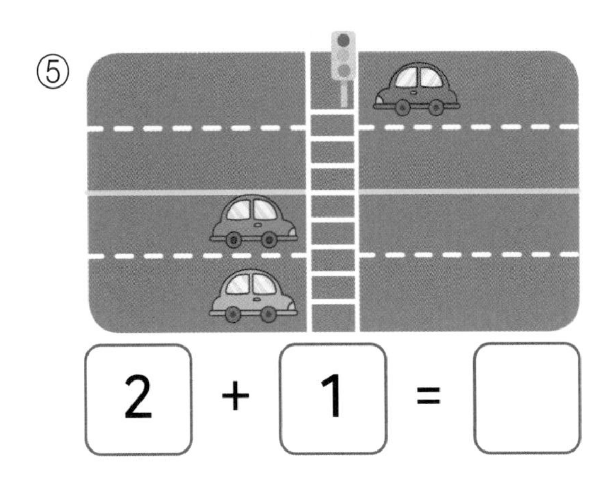

2 + 1 = □

⑥

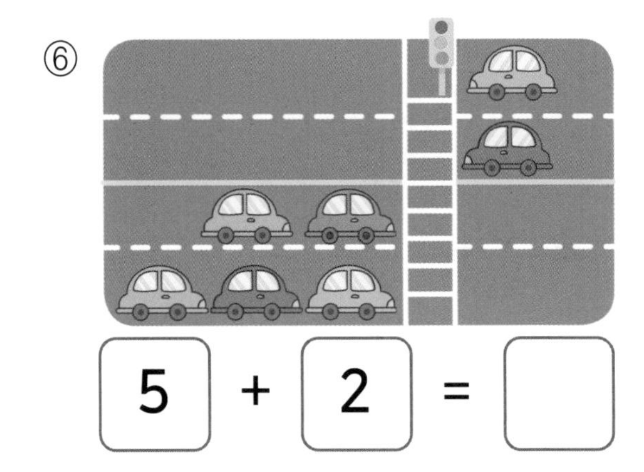

5 + 2 = □

□에 알맞은 수를 써넣으세요.

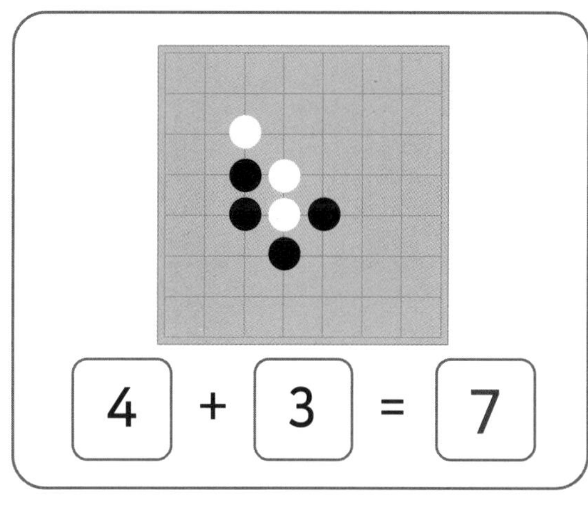

4 + 3 = 7

①

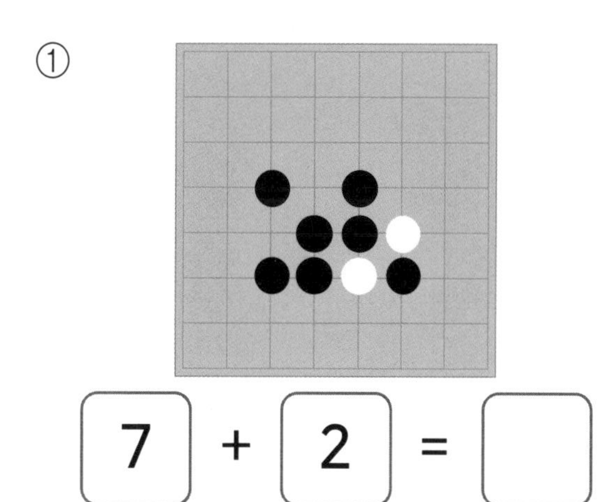

7 + 2 = □

②

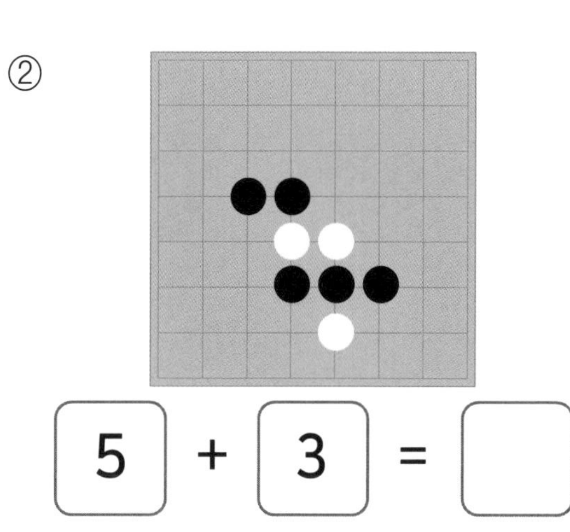

5 + 3 = □

③

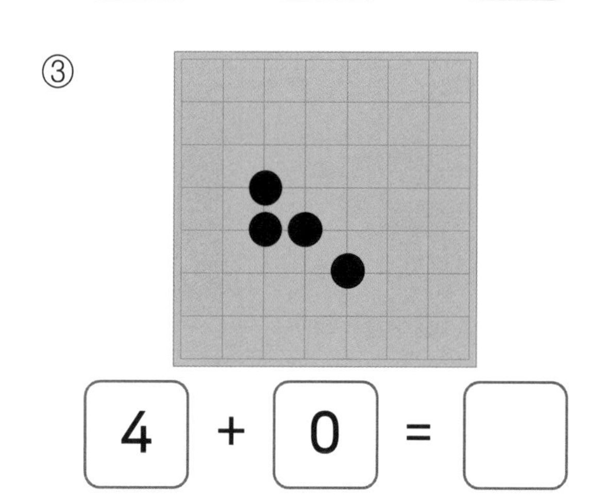

4 + 0 = □

④

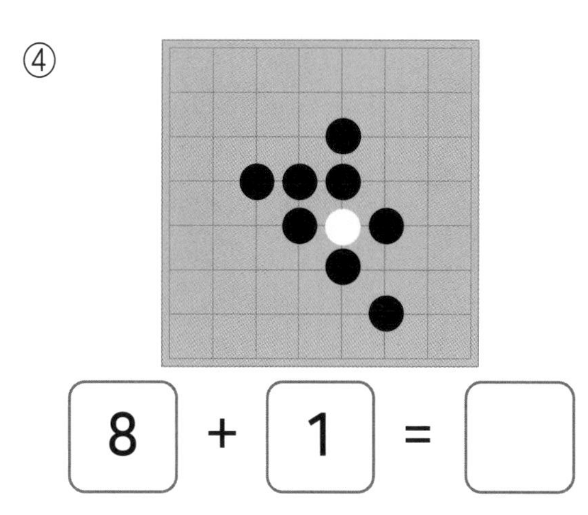

8 + 1 = □

⑤

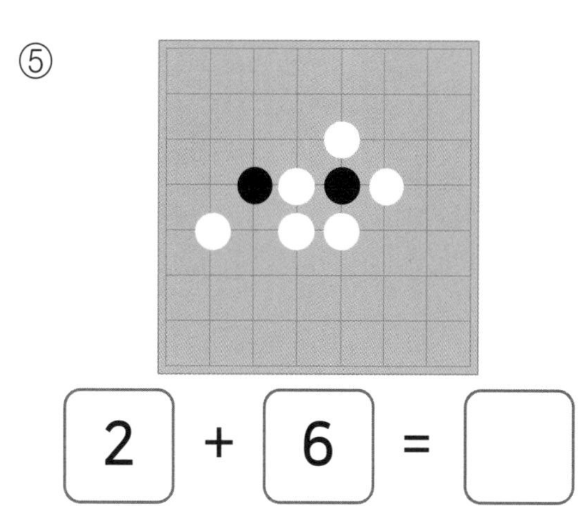

2 + 6 = □

두 수의 덧셈

월 일

덧셈식을 계산하세요.

① $4 + 2 = \square$

② $3 + 1 = \square$

③ $0 + 3 = \square$

④ $6 + 1 = \square$

⑤ $2 + 7 = \square$

⑥ $4 + 4 = \square$

⑦ $5 + 1 = \square$

⑧ $9 + 0 = \square$

⑨ $6 + 2 = \square$

⑩ $5 + 2 = \square$

⑪ $1 + 7 = \square$

⑫ $8 + 1 = \square$

⑬ $3 + 2 = \square$

⑭ $2 + 4 = \square$

골프공이 들어가야 하는 구멍에 ◯표 하세요.

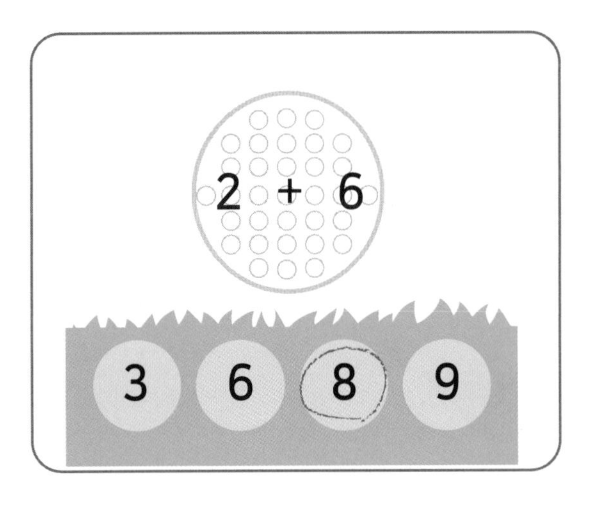

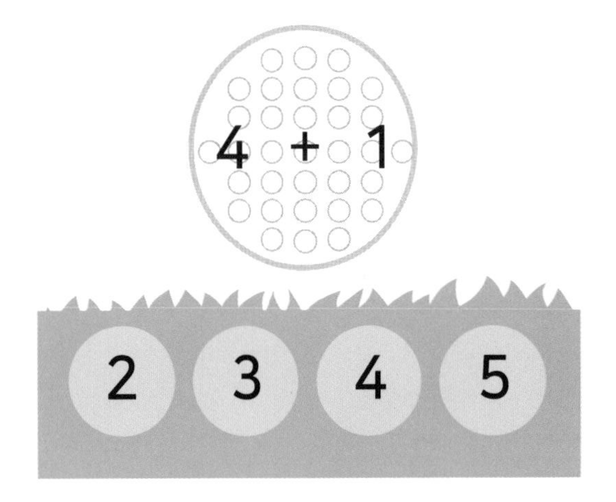

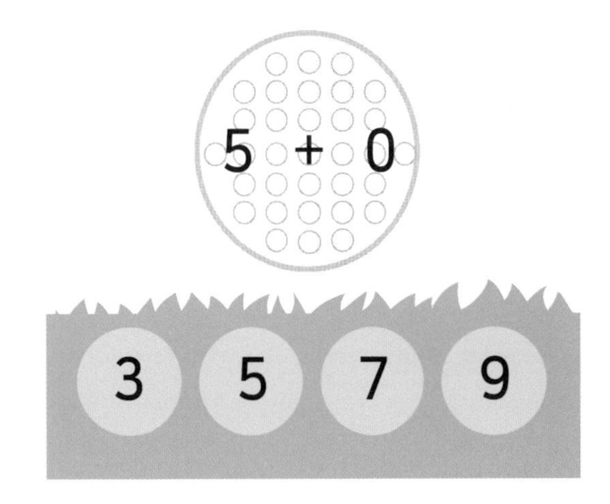

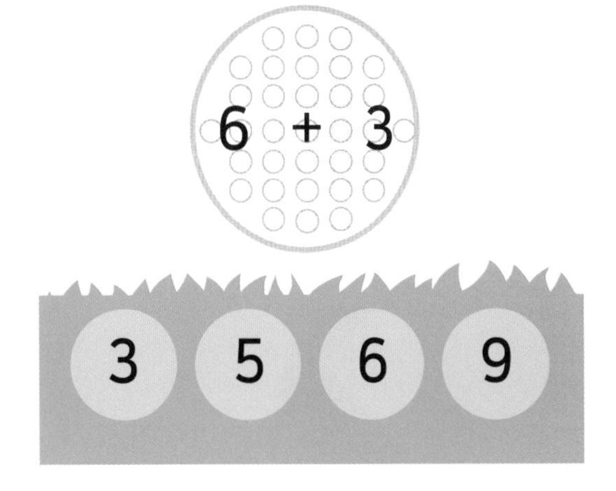

연산 퍼즐

겹쳐진 부분에 겹치는 두 도형 숫자의 합을 넣으세요.

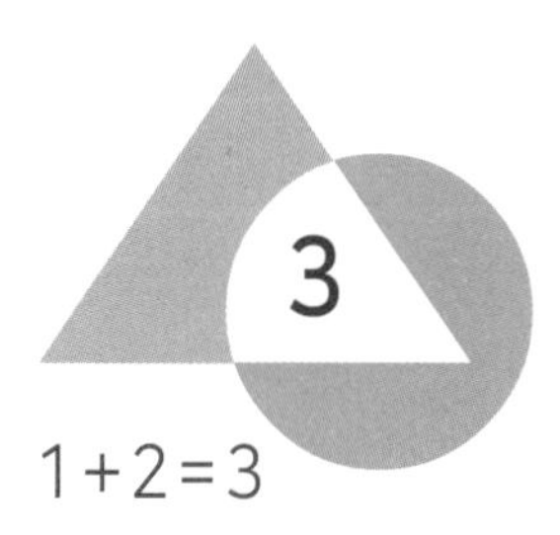

1 + 2 = 3

①

②
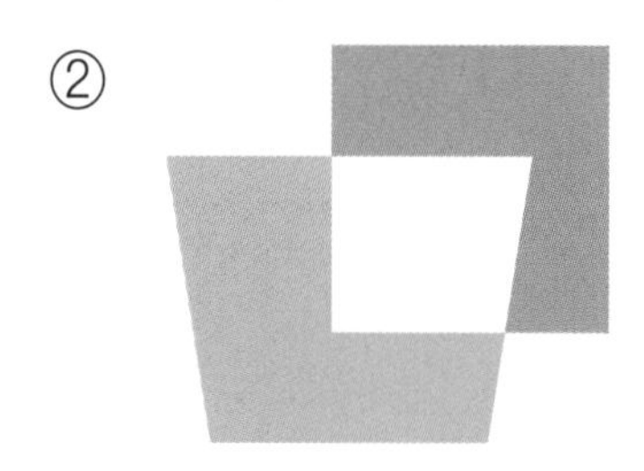

③
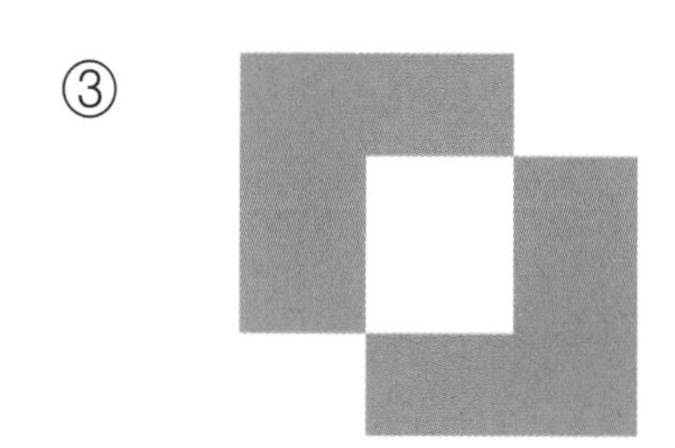

④

⑤
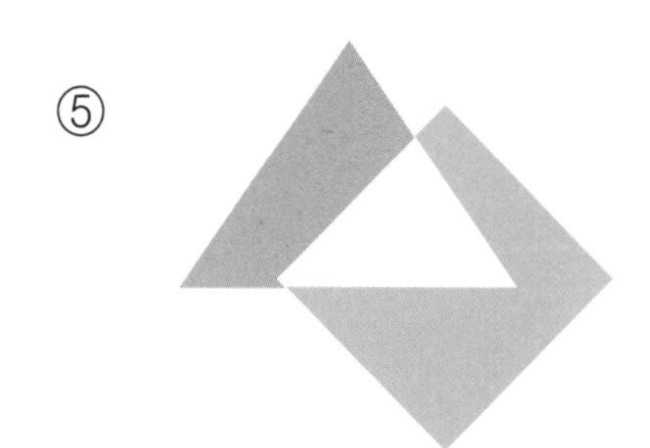

⑥

⑦

겹쳐진 부분에 겹치는 두 도형 숫자의 합을 넣으세요.

1 2 3 4 5

①

②

③

④

⑤

⑥

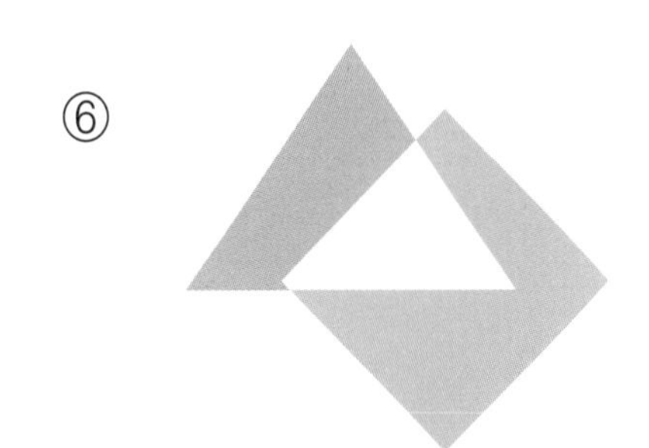

⑦

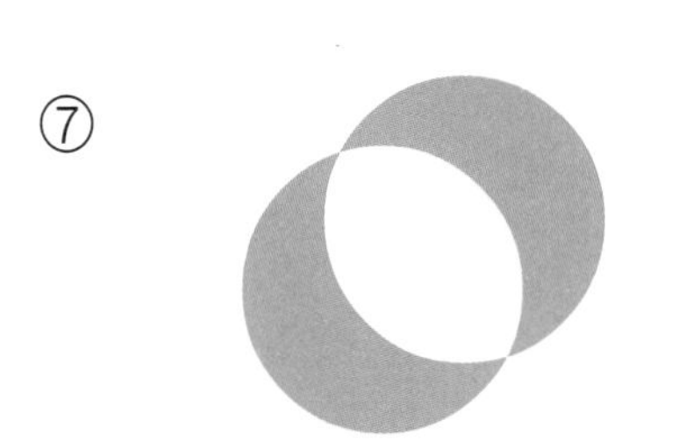

⑧

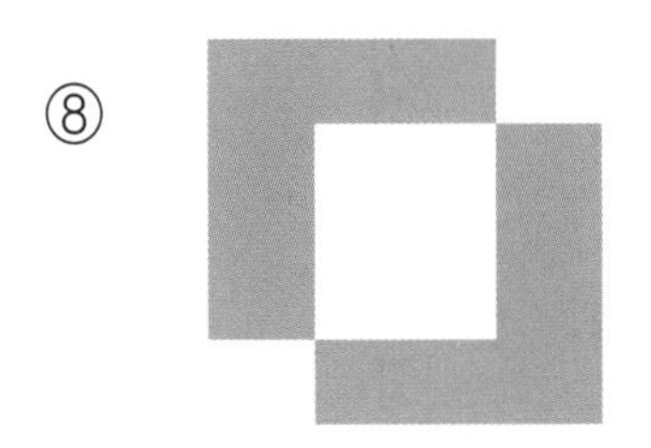

팻말에 쓰인 합이 되는 두 수를 위아래나 옆으로 묶어 보세요.

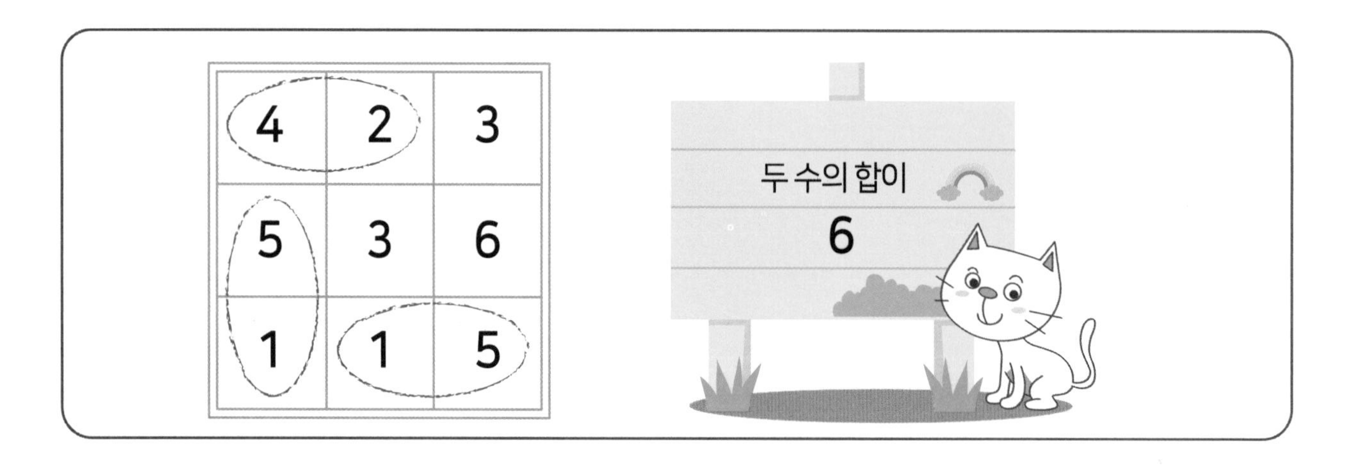

4	2	3
5	3	6
1	1	5

1	3	6
7	5	4
4	4	2

2	1	4
4	2	3
5	0	3

문장제

글과 그림을 보고 물음에 알맞은 식을 세우고 답을 구하세요.

파란 풍선 3개와 빨간 풍선 2개를 든 아이들이 즐거워하고 있고, 왼쪽에는 노란색 풍선 2개도 있습니다.

★ 빨간색과 파란색 풍선은 모두 몇 개일까요?

식 : $2 + 3 = 5$　　　답 : 5 개

① 빨간색과 노란색 풍선은 모두 몇 개일까요?

식 : ________　　　답 : ____ 개

문제를 읽고 알맞은 식과 답을 써 보세요.

① 주원이는 빨간색 구슬 3개, 파란색 구슬 4개를 가지고 있다가 친구에게 모두 주었습니다. 주원이가 친구에게 준 구슬은 모두 몇 개일까요?

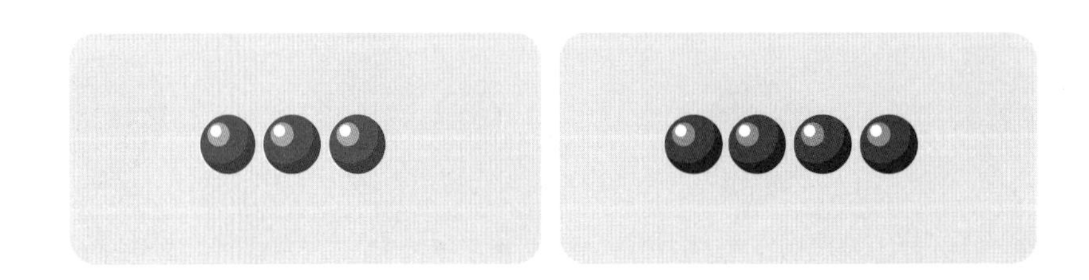

식 : ______________________ 답 : ______ 개

② 시장에서 어머니가 사과 3개와 배 5개를 사 오셨습니다. 어머니께서 사 오신 과일은 모두 몇 개일까요?

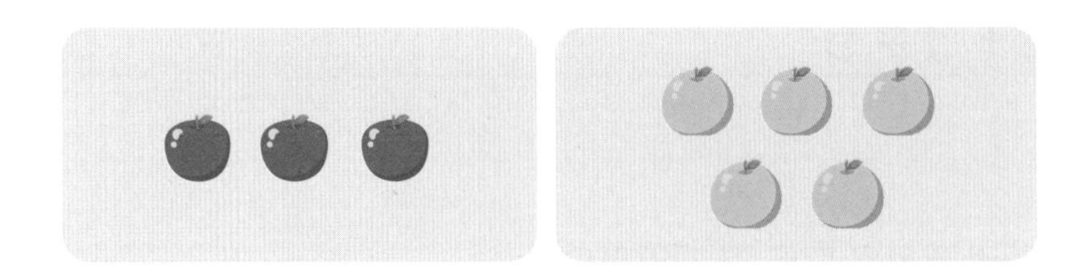

식 : ______________________ 답 : ______ 개

문제를 읽고 알맞은 식과 답을 써 보세요.

① 연필 7자루가 들어 있는 필통 안에 지우개 2개를 넣었습니다. 필통 안에 들어 있는 지우개와 연필은 모두 몇 개일까요?

식 : ______________________ 답 : ______ 개

② 공원에 비둘기 4마리가 앉아 있는데 비둘기 4마리가 더 날아와 앉았습니다. 공원에 앉아 있는 비둘기는 모두 몇 마리일까요?

식 : ______________________ 답 : ______ 마리

③ 민정이는 아침에 우유 2컵을 마시고 점심 때 1컵을 더 마셨습니다. 민정이가 점심 때까지 마신 우유는 모두 몇 컵일까요?

식 : ______________________ 답 : ______ 컵

문제를 읽고 알맞은 식과 답을 써 보세요.

① 민지와 언니는 집을 꾸미려고 풍선을 불었습니다. 민지는 6개, 언니는 2개를 불었습니다. 집안에 꾸며 놓을 풍선은 모두 몇 개일까요?

식 : ______________________ 답 : ______ 개

② 동물원에 호랑이 4마리, 코끼리 3마리, 사자 2마리가 있습니다. 동물원에 있는 코끼리와 사자는 모두 몇 마리일까요?

식 : ______________________ 답 : ______ 마리

③ 승기네 모둠에는 남학생이 3명, 여학생이 4명이 있습니다. 승기네 모둠은 모두 몇 명일까요?

식 : ______________________ 답 : ______ 명

두 수의 뺄셈

가르기로 익힌 개념을 뺄셈 기호를 사용하여 뺄셈식으로 나타내고 계산해 봅니다. 뺄셈에서도 덧셈과 마찬가지로 0을 빼는 개념을 익히고 공부하게 되며 5일차 문장제를 통하여 뺄셈식을 직접 세우고 계산해 볼 수 있습니다.

1일 뺄셈식으로 나타내기

□에 알맞은 수를 써넣으세요.

5 - 2

① 

8 - □

② 

4 - □

③ 

5 - □

④ 

6 - □

⑤ 

6 - □

⑥ 

7 - □

⑦ 

4 - □

Tip
5-2는 “5 빼기 2” 또는 “5와 2의 차”라고 읽습니다.

하나씩 선을 잇고 □에 알맞은 수를 써넣으세요.

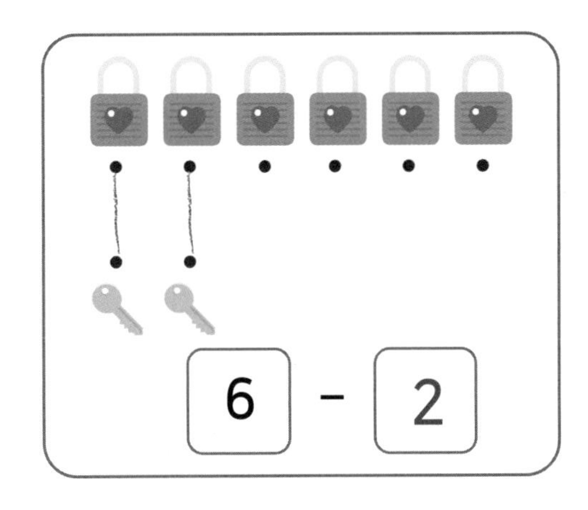

①

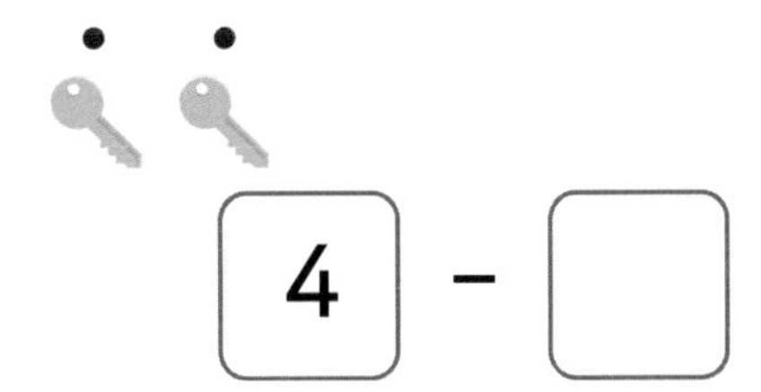

②

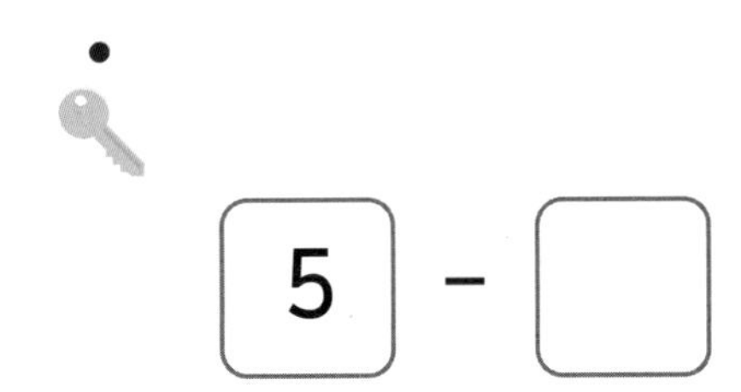

③

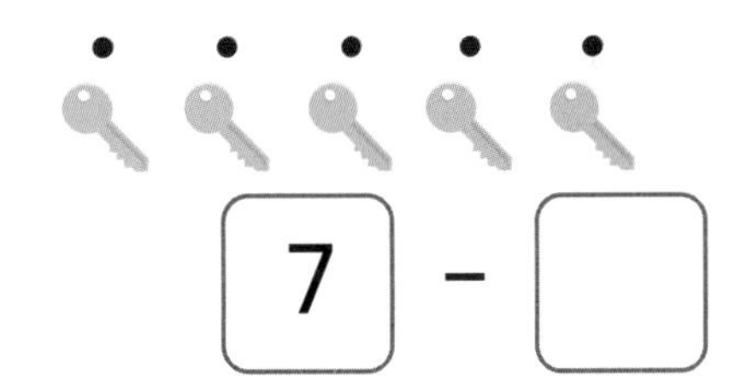

④

3 - □

⑤

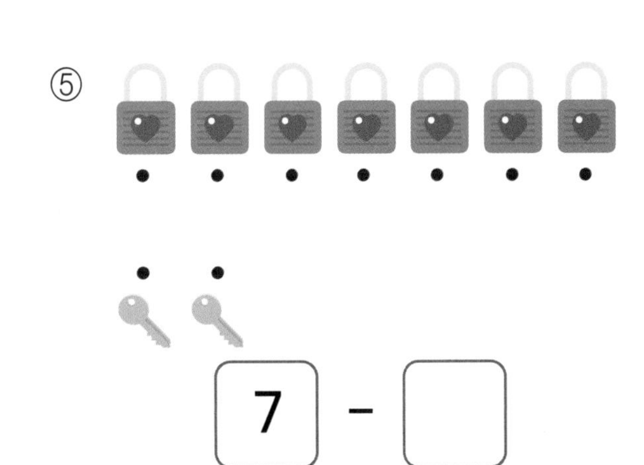

□에 알맞은 수를 써넣으세요.

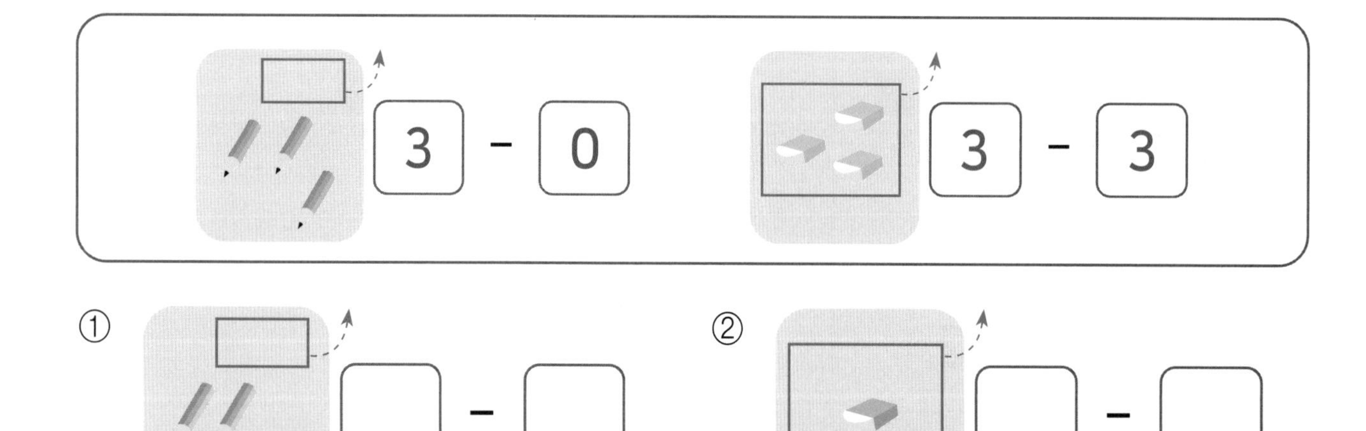

①

②

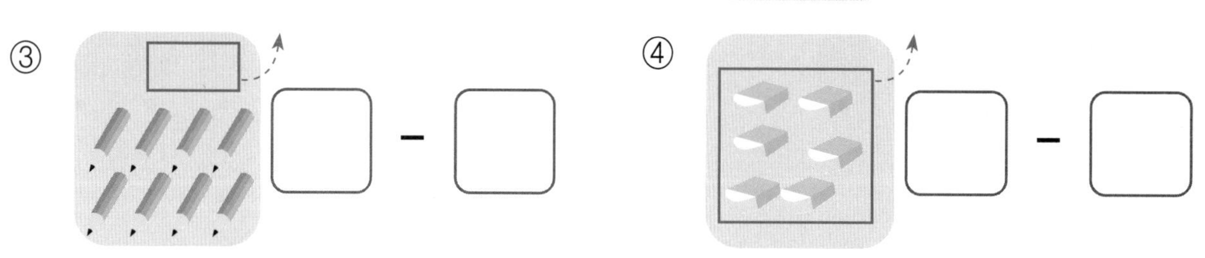

③

④

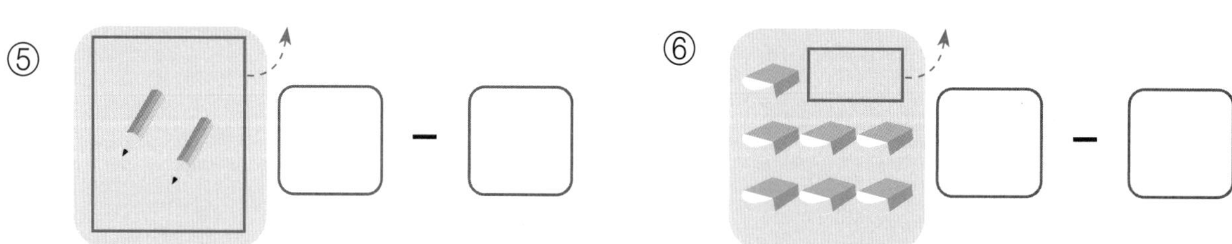

⑤

⑥

⑦

⑧

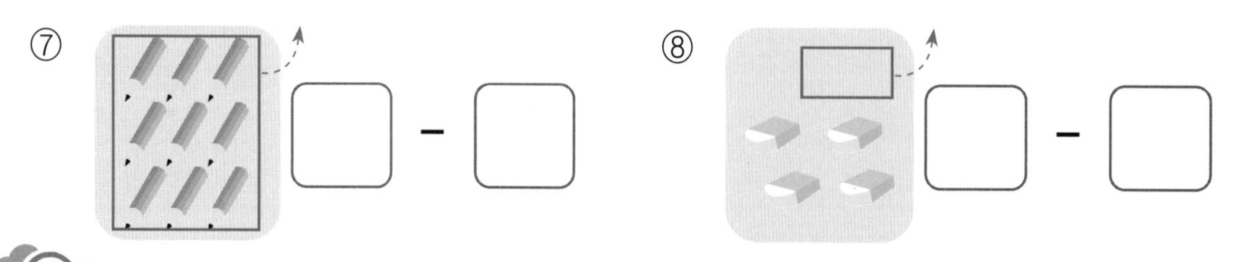

Tip

가르기와 모으기는 구체물을 대상으로 하기 때문에 0을 사용하지 않지만 덧셈과 뺄셈에서는 0의 의미를 알고 연산에서 사용하기 시작합니다.

뺄셈식 계산하기

월 일

□에 알맞은 수를 써넣으세요.

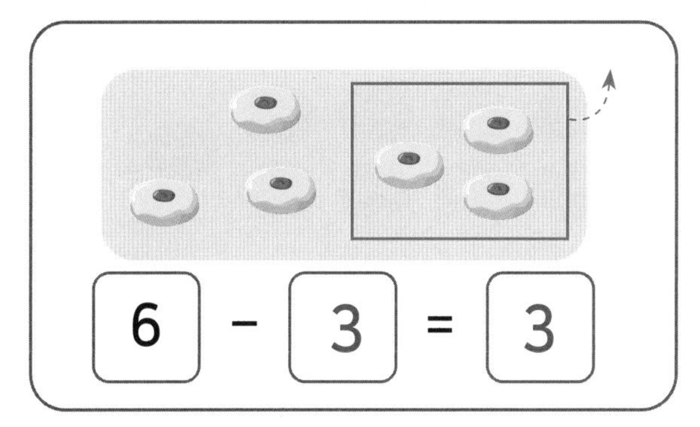

6 - 3 = 3

① 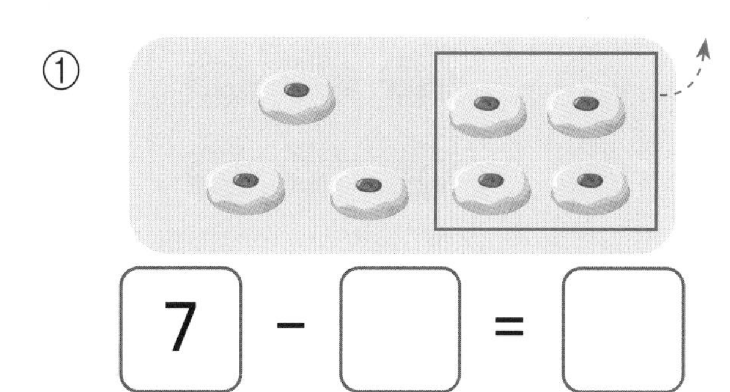

7 - □ = □

② 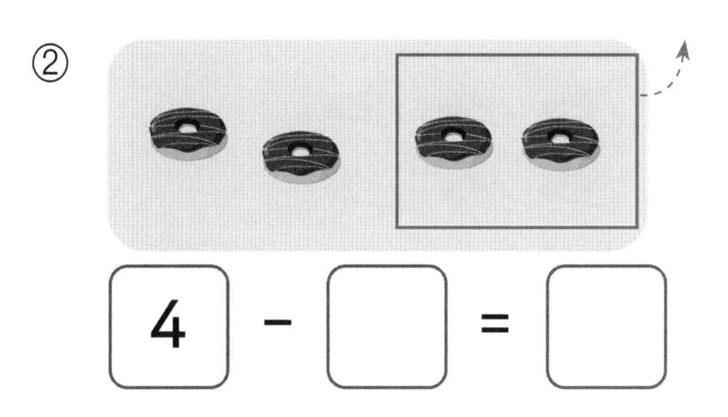

4 - □ = □

③ 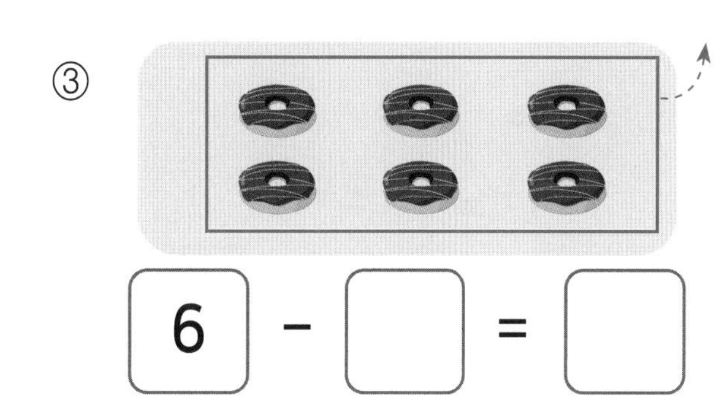

6 - □ = □

④ 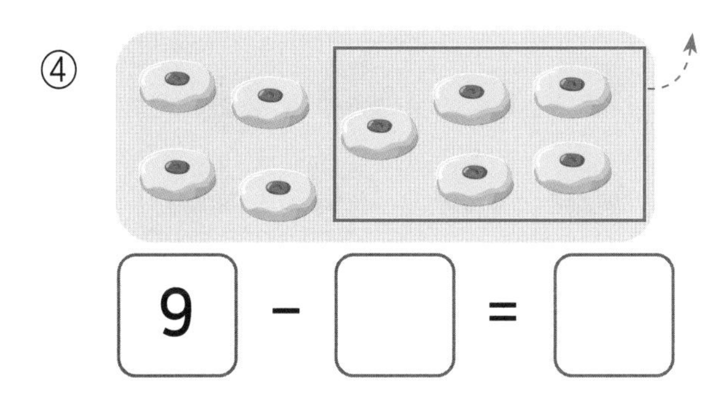

9 - □ = □

⑤ 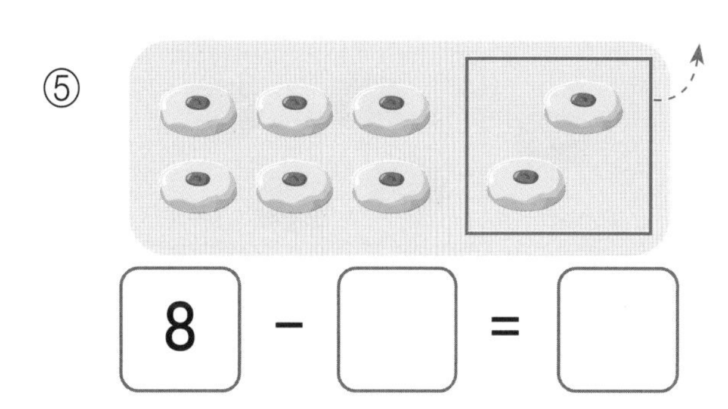

8 - □ = □

⑥ 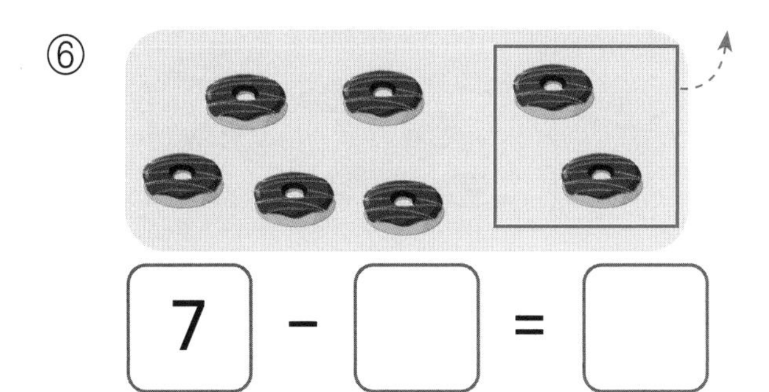

7 - □ = □

⑦ 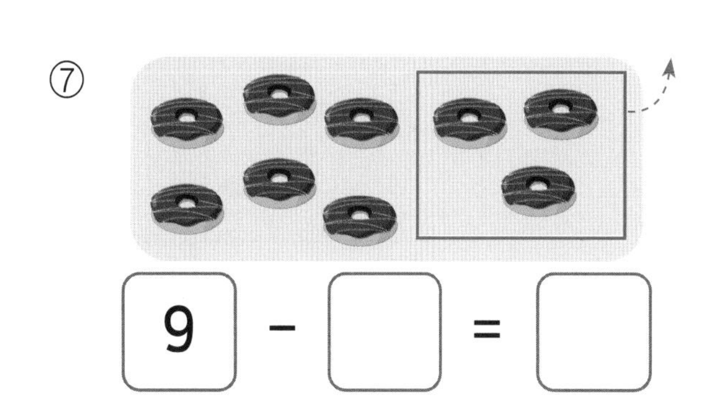

9 - □ = □

2일

□에 알맞은 수를 써넣으세요.

①

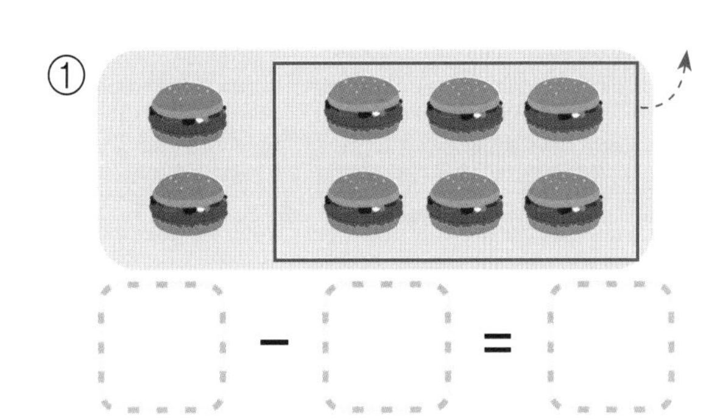

□ − □ = □

②

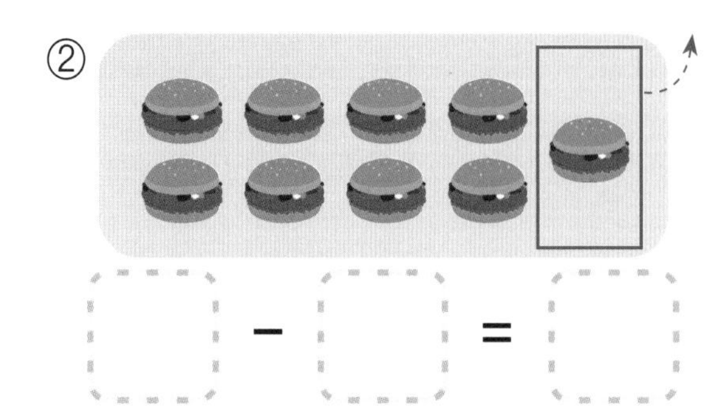

□ − □ = □

③

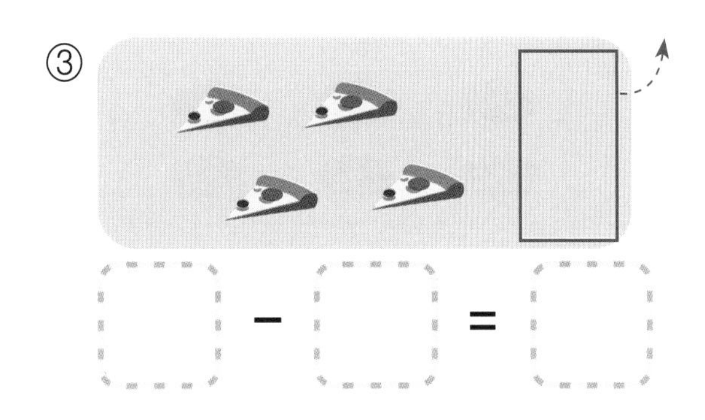

□ − □ = □

④

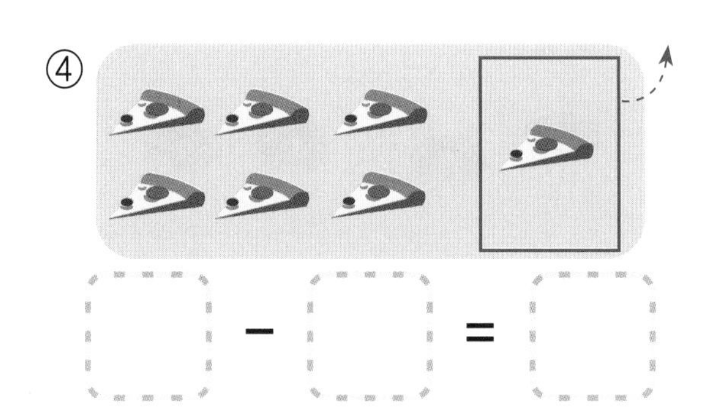

□ − □ = □

⑤

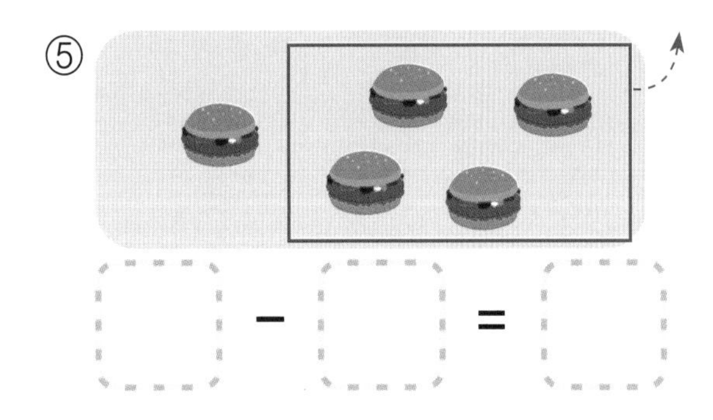

□ − □ = □

⑥

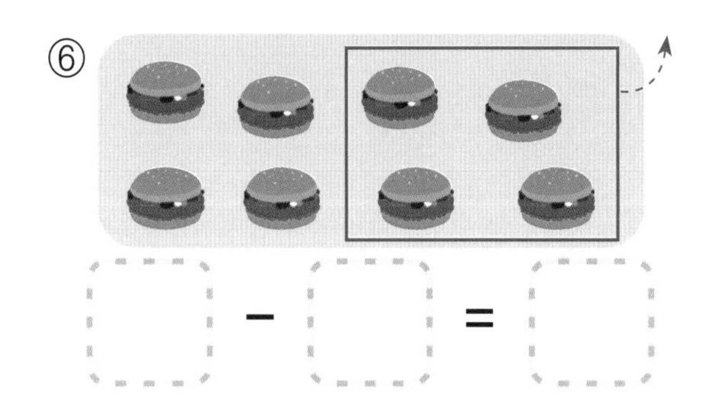

□ − □ = □

⑦

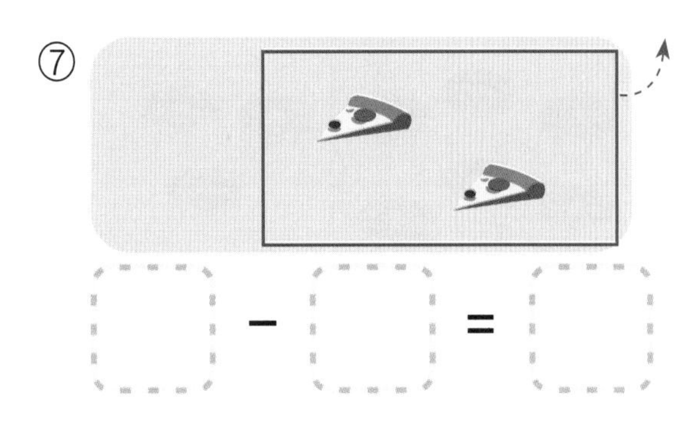

□ − □ = □

⑧

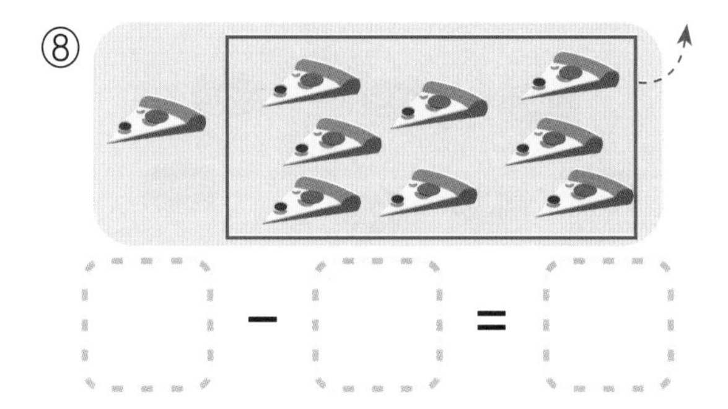

□ − □ = □

하나씩 선을 잇고 □에 알맞은 수를 써넣으세요.

① 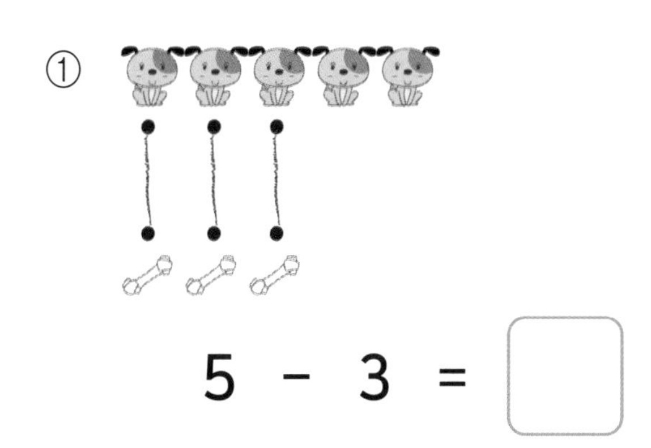

$5 - 3 = \square$

② 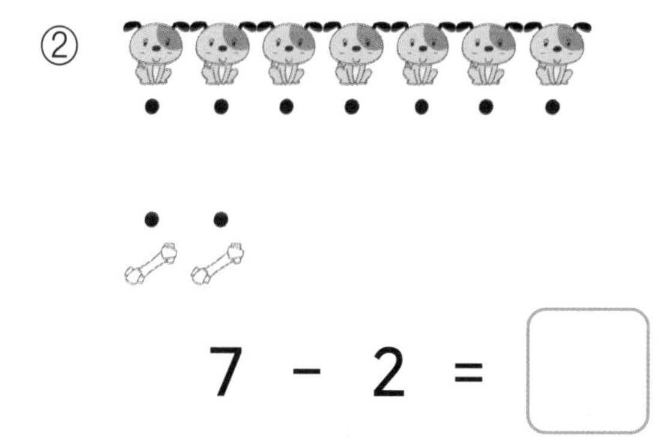

$7 - 2 = \square$

③

$9 - 4 = \square$

④ 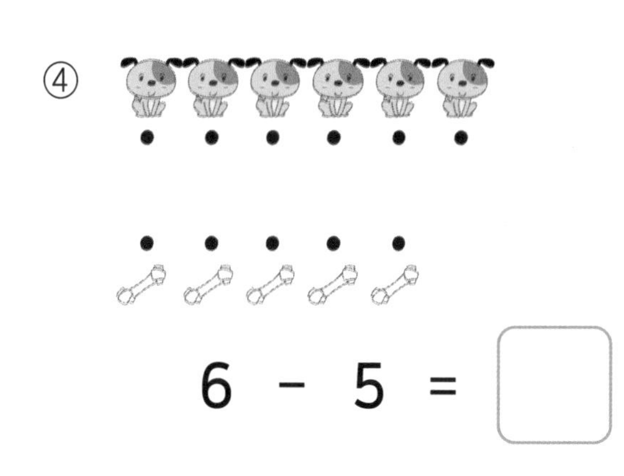

$6 - 5 = \square$

⑤ 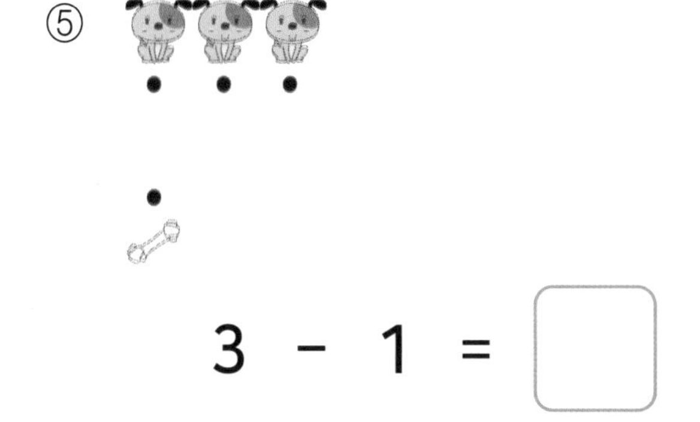

$3 - 1 = \square$

⑥ 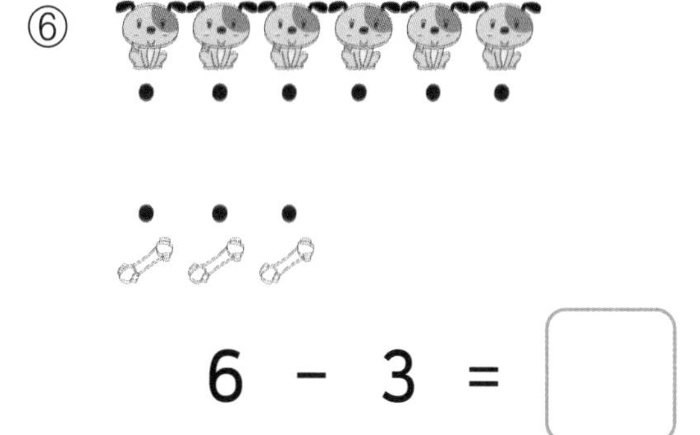

$6 - 3 = \square$

두 수의 뺄셈

월 일

빨셈식을 계산하세요.

① $6 - 1 = \square$

② $8 - 4 = \square$

③ $9 - 6 = \square$

④ $7 - 6 = \square$

⑤ $5 - 5 = \square$

⑥ $6 - 3 = \square$

⑦ $7 - 3 = \square$

⑧ $9 - 5 = \square$

⑨ $4 - 3 = \square$

⑩ $3 - 0 = \square$

⑪ $5 - 1 = \square$

⑫ $6 - 6 = \square$

⑬ $6 - 4 = \square$

⑭ $8 - 3 = \square$

축구공이 들어가야 하는 골대에 ◯표 하세요.

연산 퍼즐

모양이 같은 것을 찾아 계산한 값을 모양 안에 써넣으세요.

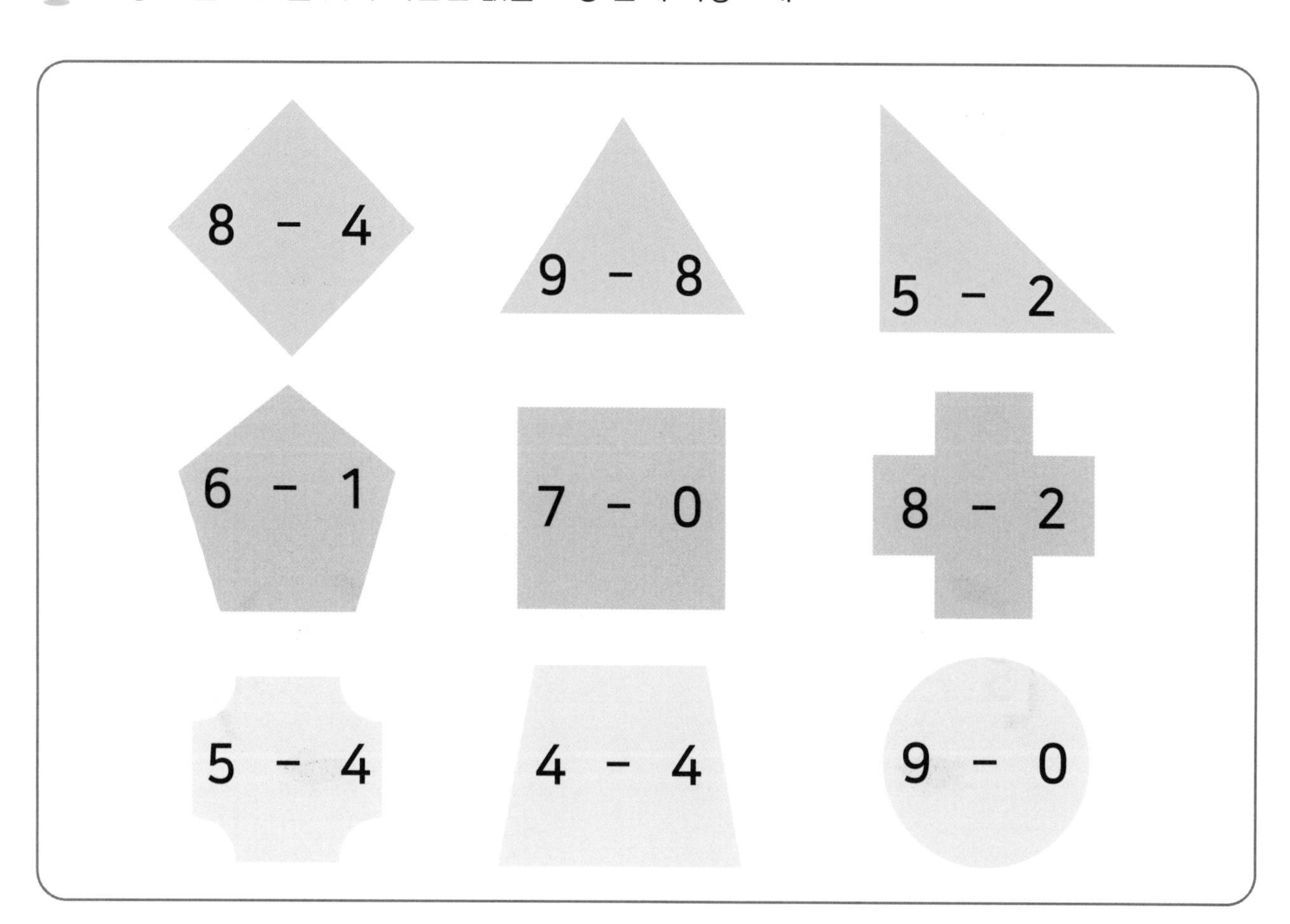

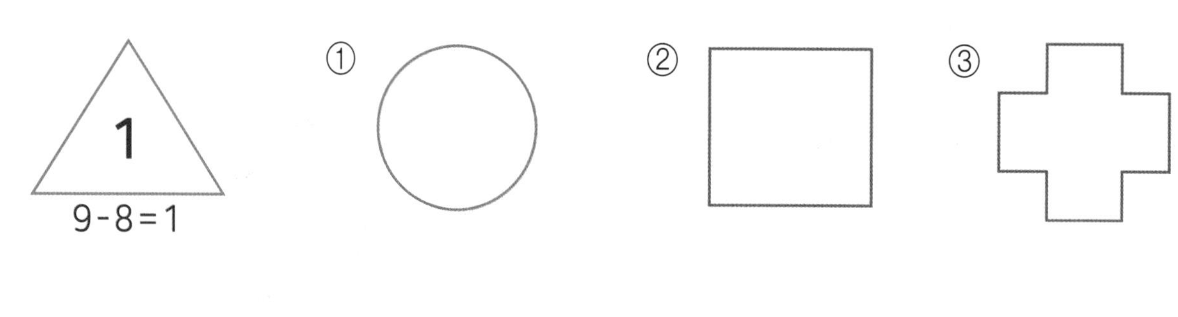

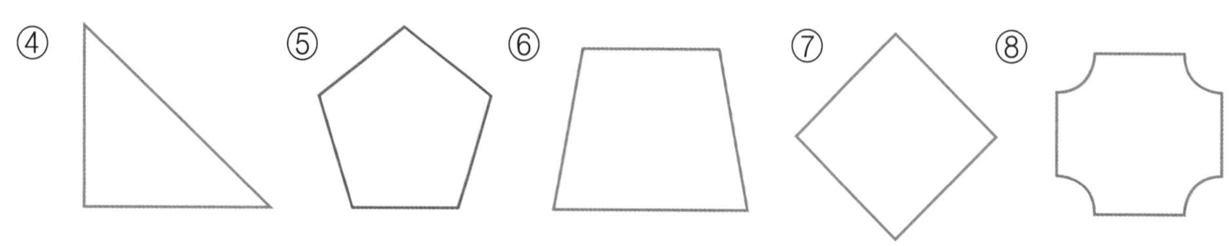

모양이 같은 것을 찾아 계산한 값을 모양 안에 써넣으세요.

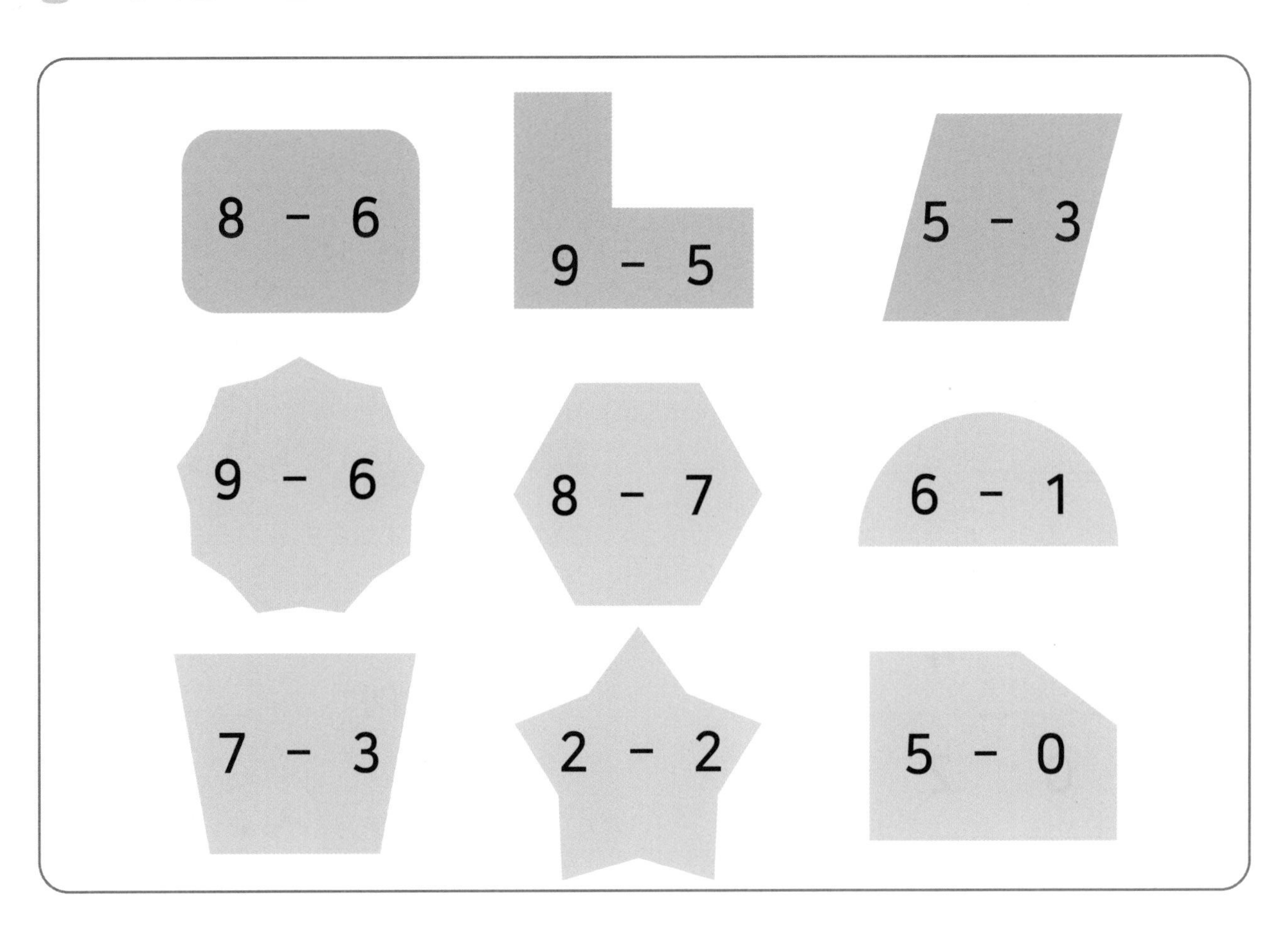

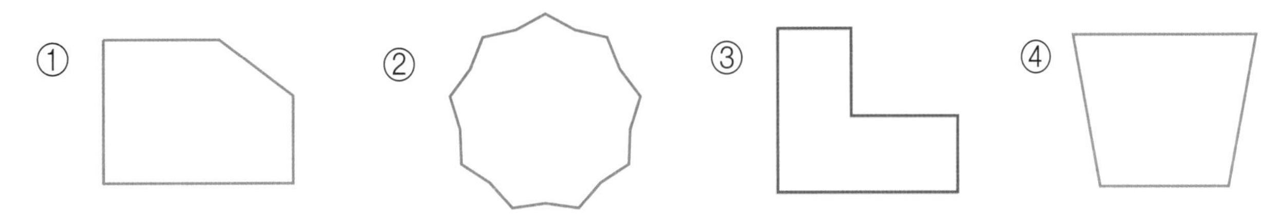

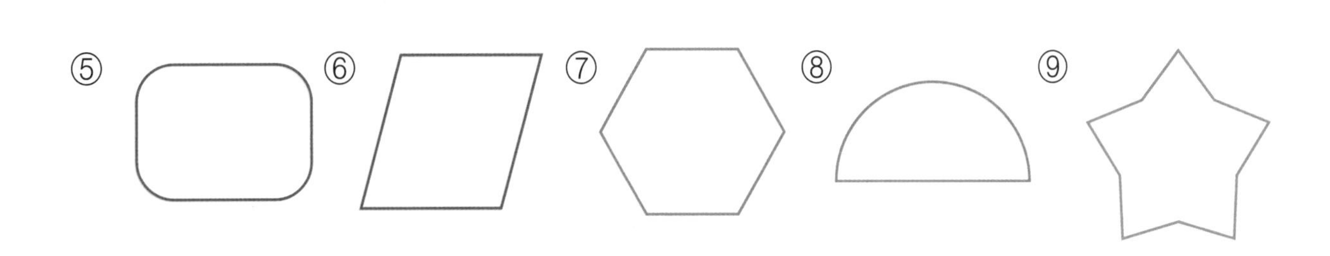

팻말에 쓰인 차가 되는 두 수를 위아래나 옆으로 묶어 보세요.

6	9	1
4	7	6
7	4	2

8	4	1
0	2	5
3	1	5

두 수의 차가
4

2	3	8
5	6	0
1	2	7

문장제

글과 그림을 보고 물음에 알맞은 식을 세우고 답을 구하세요.

친구네 집에 갔는데 탁자 위에 사과 7개, 바나나 2개, 딸기 4개가 놓여 있었습니다.

★ 딸기는 바나나보다 몇 개 더 많을까요?

식 : $4-2=2$　　　　답 : 2 개

① 사과는 딸기보다 몇 개 더 많을까요?

식 : ________　　　　답 : ____ 개

문제를 읽고 알맞은 식과 답을 써 보세요.

① 초콜릿 7개가 있는데 이 중 3개를 먹었습니다. 남아 있는 초콜릿은 몇 개일까요?

식 : ____________________ 답 : ______ 개

② 지수는 구슬을 8개, 민정이는 구슬을 2개 가지고 있습니다. 지수는 민정이보다 구슬을 몇 개 더 많이 가지고 있을까요?

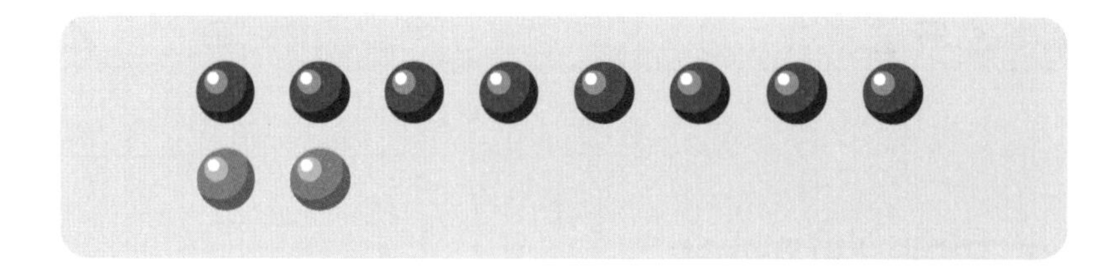

식 : ____________________ 답 : ______ 개

문제를 읽고 알맞은 식과 답을 써 보세요.

① 주차장에 자동차가 9대 있었는데 잠시 후 2대가 주차장을 나갔습니다. 남아 있는 차는 몇 대일까요?

식 : ______________________ 답 : ______ 대

② 교실에 5명이 공부하고 있다가 3명이 집에 갔습니다. 교실에 남아 있는 사람은 몇 명인가요?

식 : ______________________ 답 : ______ 명

③ 정식이는 과자 3봉지를 사 두었는데 형이 몰래 3봉지를 모두 먹어 버렸습니다. 남아 있는 과자는 몇 봉지일까요?

식 : ______________________ 답 : ______ 봉지

문제를 읽고 알맞은 식과 답을 써 보세요.

① 주머니에 있는 100원짜리 동전 6개에서 지우개를 사는데 300원을 사용하였습니다. 남아 있는 100원짜리 동전은 몇 개일까요?

식 : ______________________ 답 : ______ 개

② 피자를 8조각으로 자르고 3조각을 먹었습니다. 남아 있는 피자는 몇 조각일까요?

식 : ______________________ 답 : ______ 조각

③ 공원 벤치에 5명이 앉아 있다가 4명이 일어났습니다. 앉아 있는 사람은 몇 명일까요?

식 : ______________________ 답 : ______ 명

도전! 계산왕

덧셈과 뺄셈

공부한 날	월 일
점 수	/7

□에 알맞은 수를 써넣으세요.

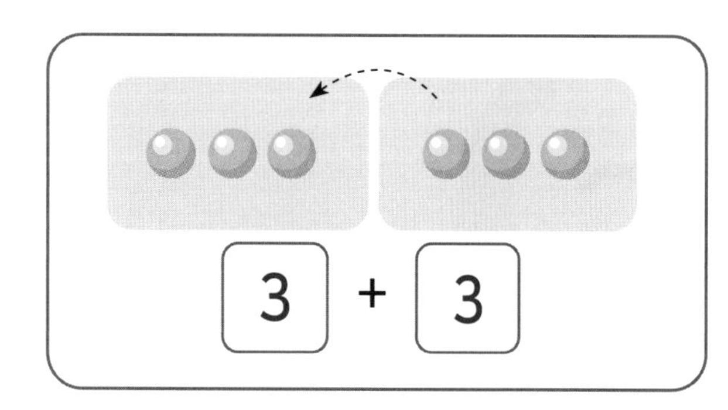

① 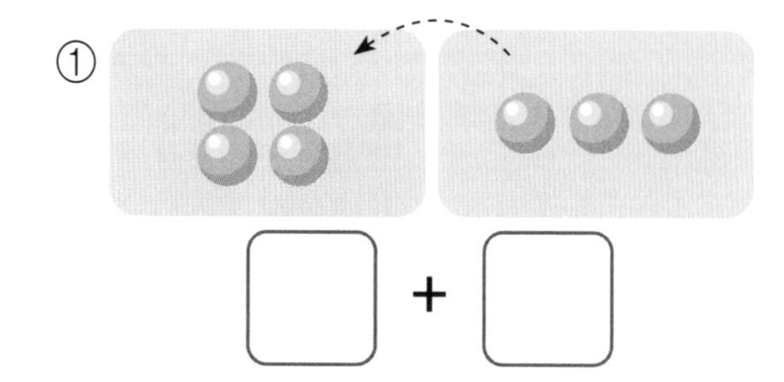

② 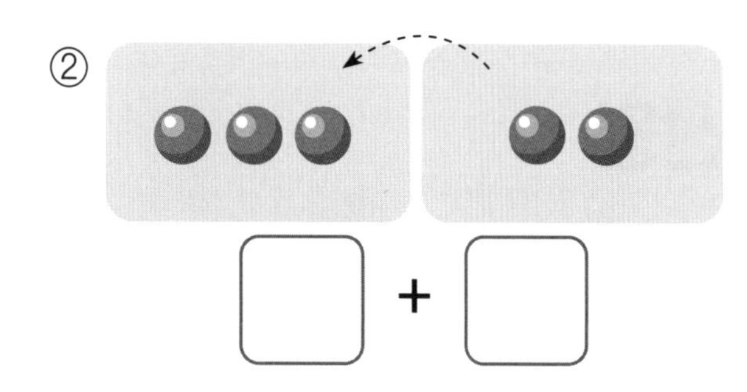

③ 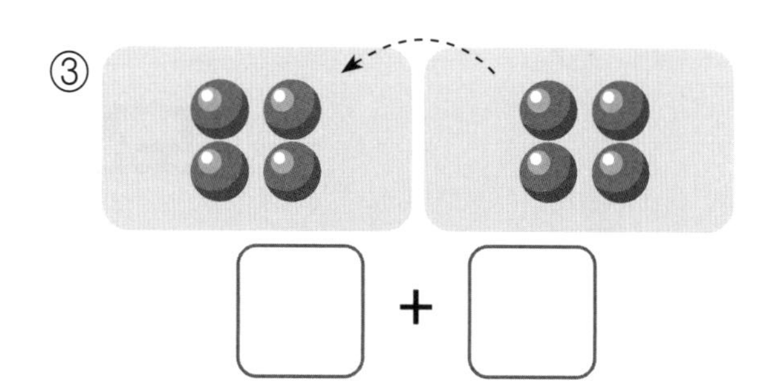

④ 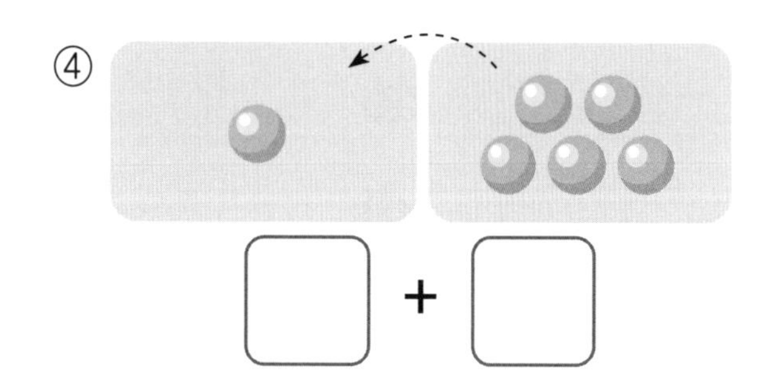

⑤ 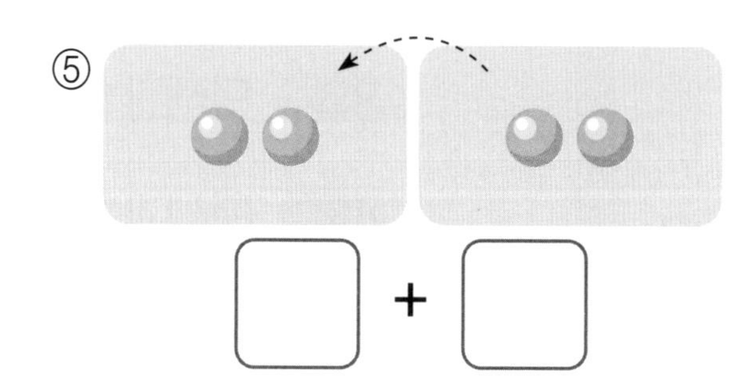

⑥ 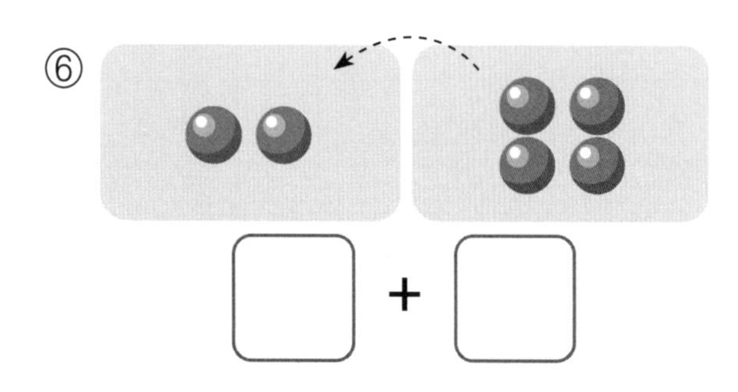

⑦ 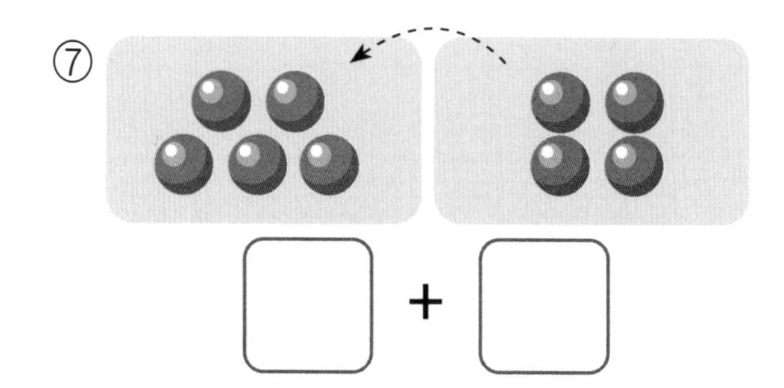

덧셈과 뺄셈

공부한 날	월 일
점 수	/ 14

덧셈식과 뺄셈식을 계산하세요.

① $2 + 3 = \square$

② $5 + 4 = \square$

③ $6 + 0 = \square$

④ $1 + 3 = \square$

⑤ $7 + 2 = \square$

⑥ $0 + 5 = \square$

⑦ $2 + 1 = \square$

⑧ $7 - 5 = \square$

⑨ $4 - 1 = \square$

⑩ $8 - 3 = \square$

⑪ $2 - 0 = \square$

⑫ $5 - 5 = \square$

⑬ $7 - 4 = \square$

⑭ $9 - 1 = \square$

덧셈과 뺄셈

공부한 날	월 일
점수	/5

□에 알맞은 수를 써넣으세요.

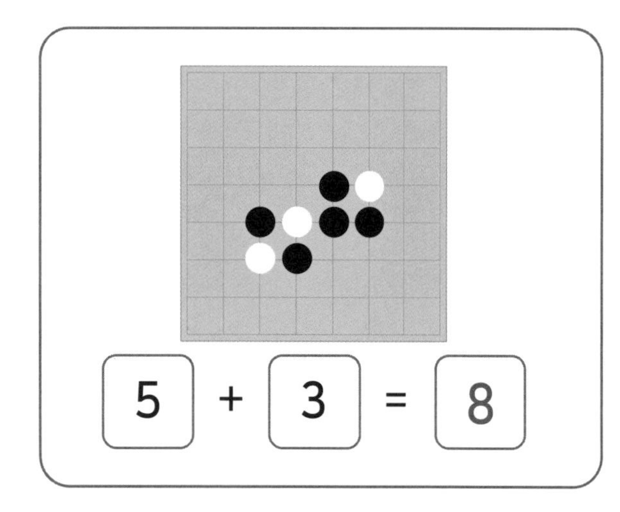

①
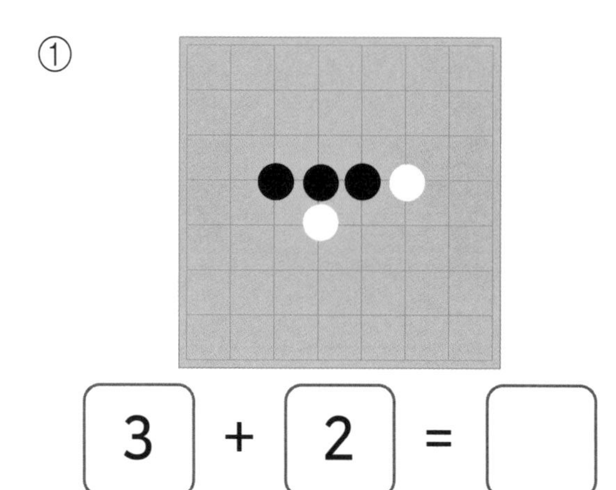

②
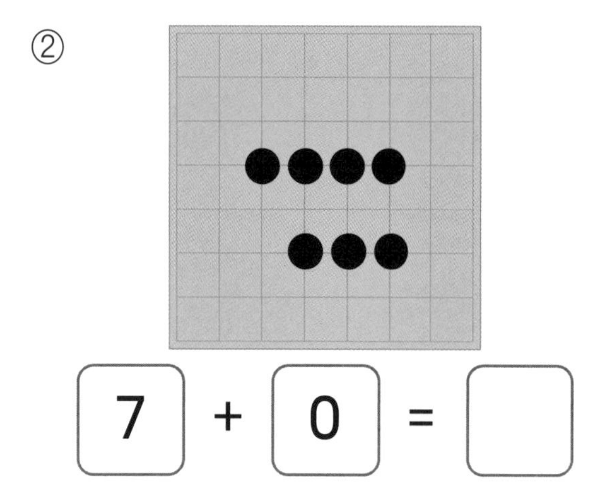

③
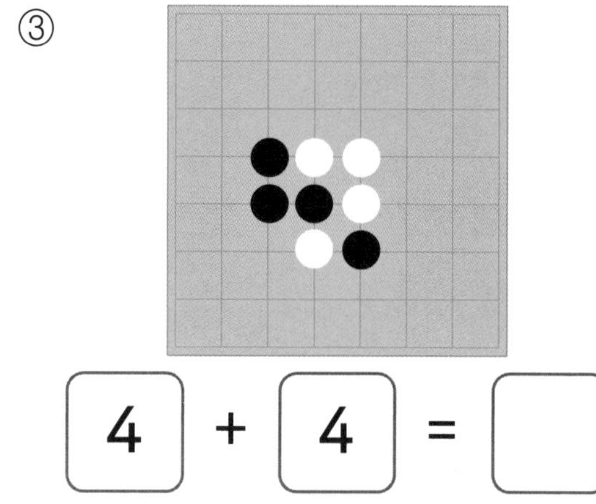

④
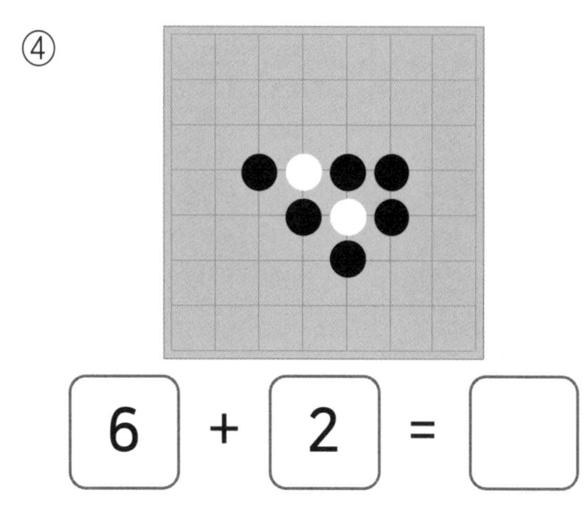

⑤
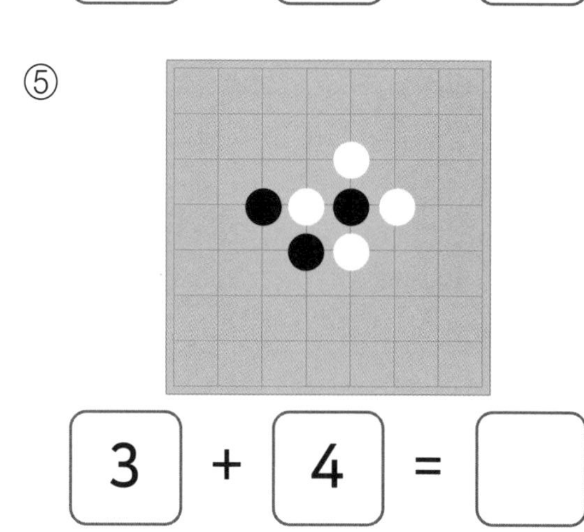

덧셈과 뺄셈

공부한 날	월 일
점 수	/ 14

덧셈식과 뺄셈식을 계산하세요.

① $1 + 6 =$ □

② $2 + 4 =$ □

③ $3 + 2 =$ □

④ $0 + 8 =$ □

⑤ $6 + 3 =$ □

⑥ $4 + 0 =$ □

⑦ $7 + 1 =$ □

⑧ $4 - 2 =$ □

⑨ $7 - 3 =$ □

⑩ $5 - 1 =$ □

⑪ $8 - 5 =$ □

⑫ $2 - 0 =$ □

⑬ $6 - 3 =$ □

⑭ $9 - 4 =$ □

덧셈과 뺄셈

공부한 날	월 일
점 수	/7

□에 알맞은 수를 써넣으세요.

4 - 2

① 

7 - □

② 

5 - □

③ 

6 - □

④ 

4 - □

⑤ 

8 - □

⑥ 

9 - □

⑦ 

5 - □

덧셈과 뺄셈

공부한 날	월 일
점 수	/ 14

덧셈식과 뺄셈식을 계산하세요.

① $3 + 5 = \square$

② $1 + 3 = \square$

③ $2 + 6 = \square$

④ $4 + 4 = \square$

⑤ $7 + 2 = \square$

⑥ $5 + 1 = \square$

⑦ $2 + 0 = \square$

⑧ $4 - 2 = \square$

⑨ $6 - 1 = \square$

⑩ $8 - 3 = \square$

⑪ $9 - 2 = \square$

⑫ $5 - 2 = \square$

⑬ $3 - 0 = \square$

⑭ $7 - 4 = \square$

덧셈과 뺄셈

공부한 날	월 일
점 수	/6

하나씩 선을 잇고 □에 알맞은 수를 써넣으세요.

① 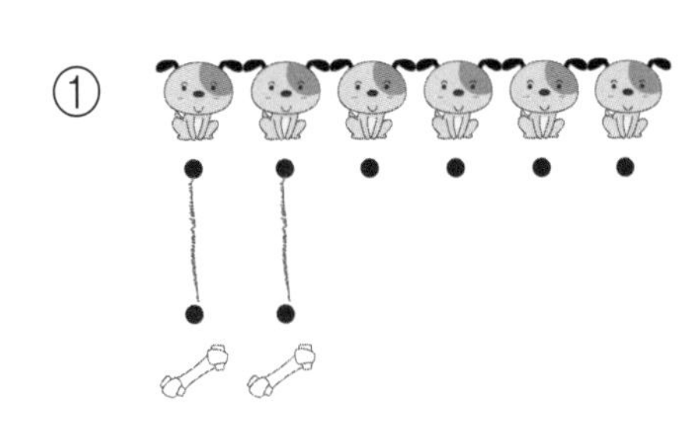

$6 - 2 = \square$

② $5 - 4 = \square$

③ $8 - 3 = \square$

④ $4 - 1 = \square$

⑤ $6 - 4 = \square$

⑥ $7 - 5 = \square$

덧셈과 뺄셈

공부한 날	월 일
점 수	/ 14

덧셈식과 뺄셈식을 계산하세요.

① $6 + 3 = \square$

② $2 + 4 = \square$

③ $1 + 0 = \square$

④ $3 + 2 = \square$

⑤ $5 + 4 = \square$

⑥ $2 + 6 = \square$

⑦ $0 + 3 = \square$

⑧ $9 - 1 = \square$

⑨ $4 - 3 = \square$

⑩ $5 - 3 = \square$

⑪ $4 - 4 = \square$

⑫ $2 - 0 = \square$

⑬ $6 - 5 = \square$

⑭ $7 - 2 = \square$

덧셈과 뺄셈

공부한 날	월 일
점 수	/7

□에 알맞은 수를 써넣으세요.

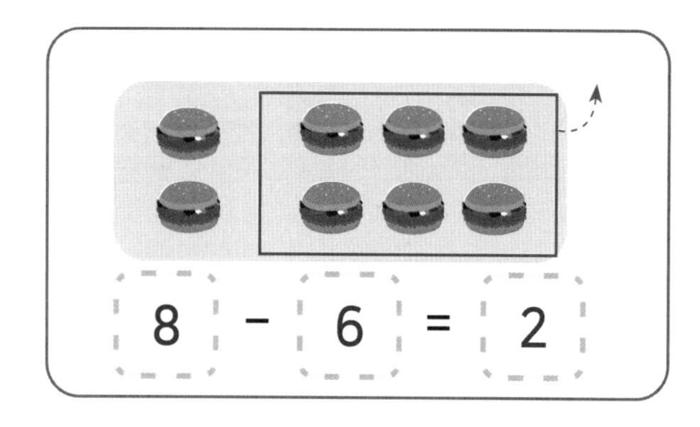

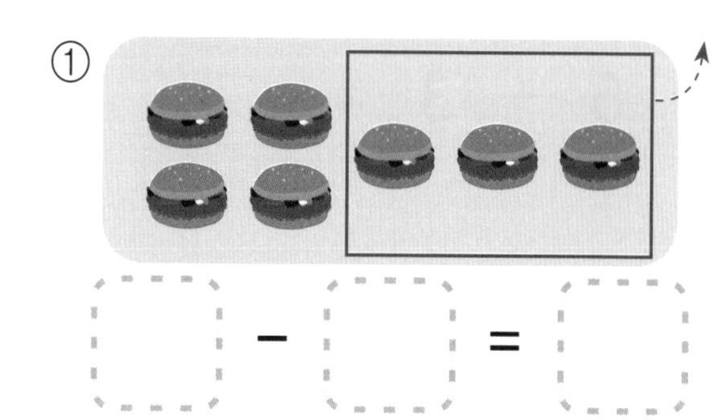

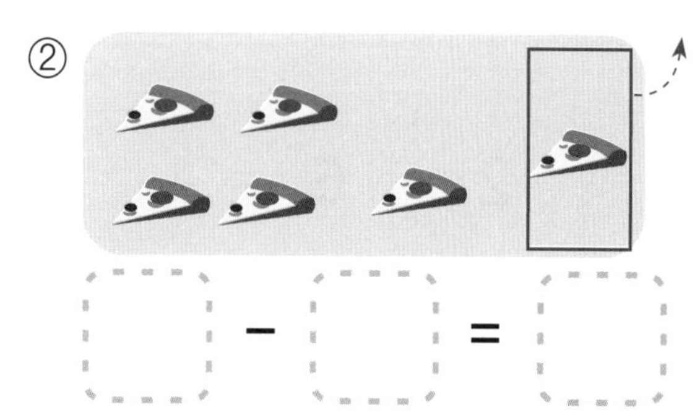

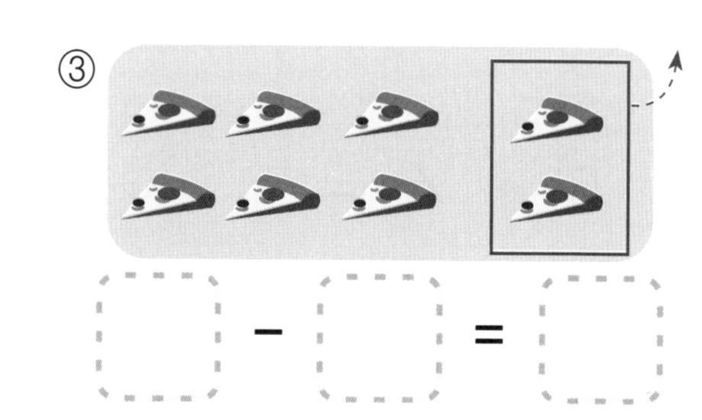

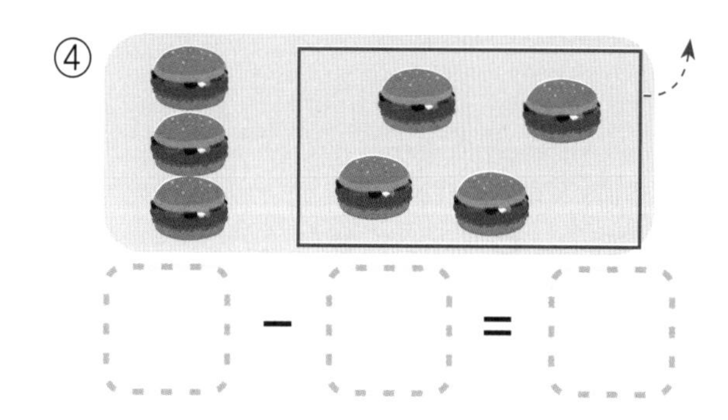

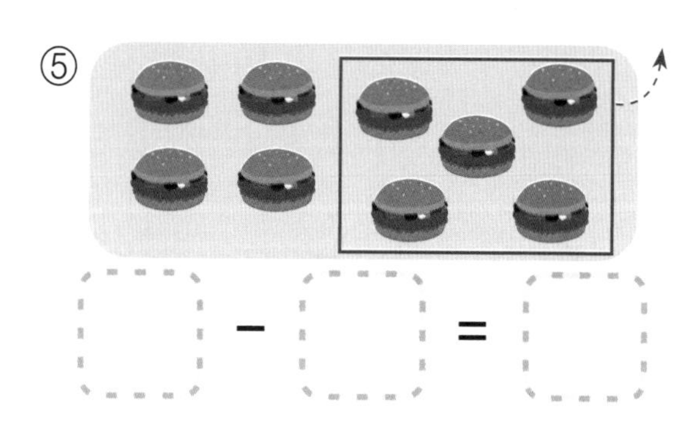

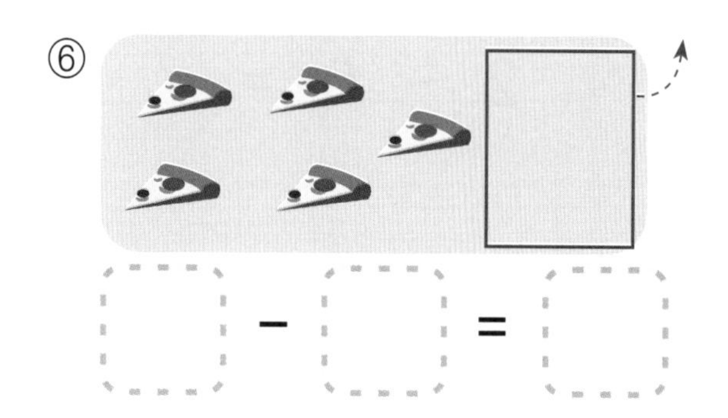

⑦

덧셈과 뺄셈

공부한 날	월 일
점 수	/14

덧셈식과 뺄셈식을 계산하세요.

① $7 + 2 = \square$

② $1 + 3 = \square$

③ $5 + 4 = \square$

④ $2 + 6 = \square$

⑤ $0 + 7 = \square$

⑥ $3 + 3 = \square$

⑦ $4 + 0 = \square$

⑧ $8 - 2 = \square$

⑨ $6 - 1 = \square$

⑩ $5 - 4 = \square$

⑪ $9 - 0 = \square$

⑫ $4 - 4 = \square$

⑬ $7 - 3 = \square$

⑭ $2 - 1 = \square$

MEMO

덧셈식과 뺄셈식의 관계

덧셈식과 뺄셈식은 서로 어떠한 관계를 가지고 있는지 그림으로 알아보고 덧셈식으로 뺄셈식을, 뺄셈식을 덧셈식으로 만드는 원리를 공부합니다. □가 있는 식의 계산의 기초가 되는 부분입니다.

바꾸어 더하기

공부한 날~! 월 일

□에 알맞은 수를 써넣으세요.

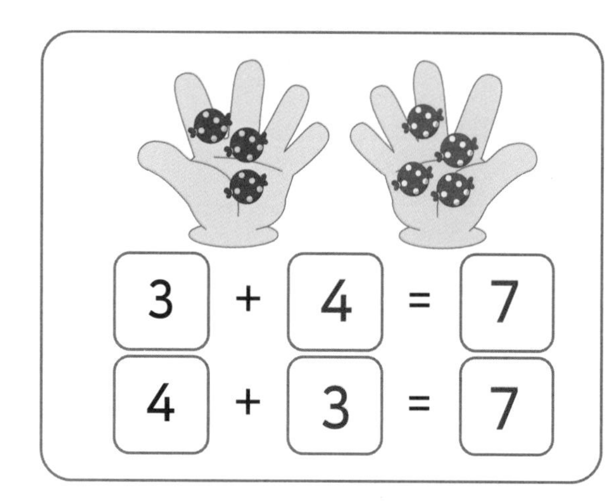

3 + 4 = 7

4 + 3 = 7

①

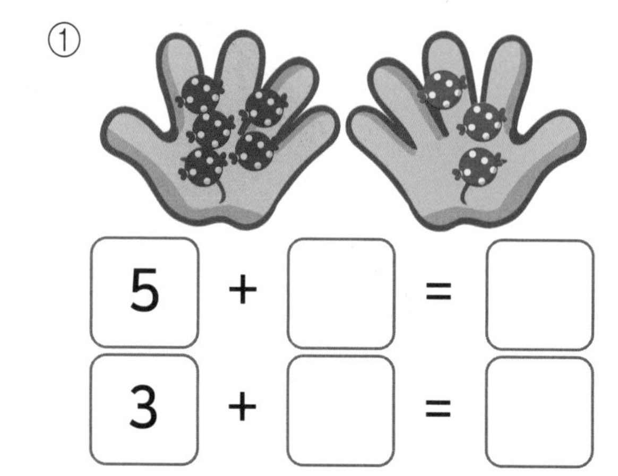

5 + □ = □

3 + □ = □

②

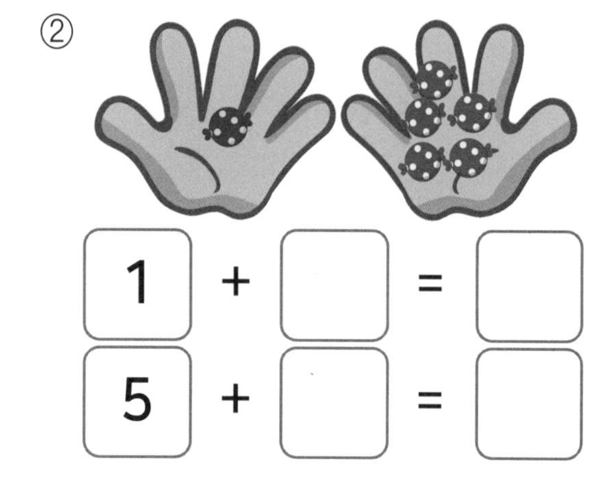

1 + □ = □

5 + □ = □

③

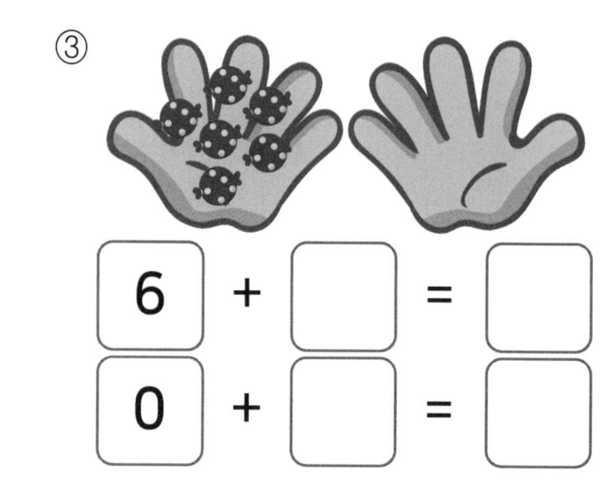

6 + □ = □

0 + □ = □

④

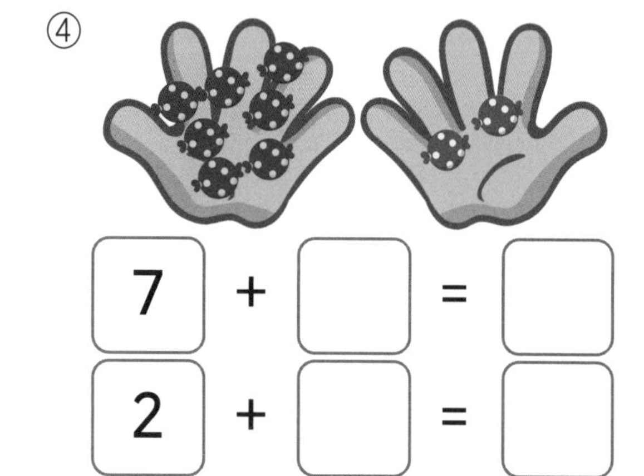

7 + □ = □

2 + □ = □

⑤

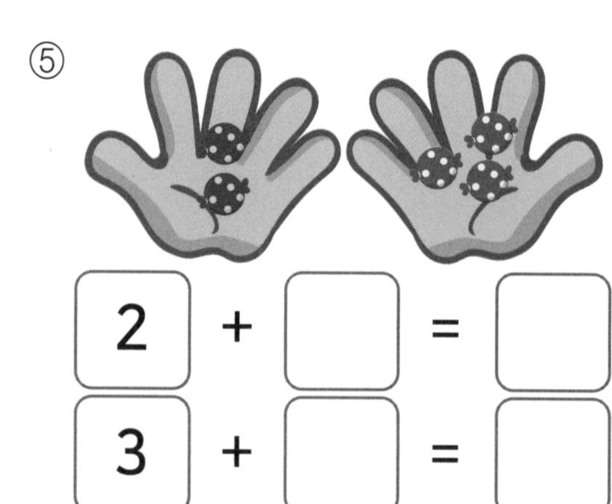

2 + □ = □

3 + □ = □

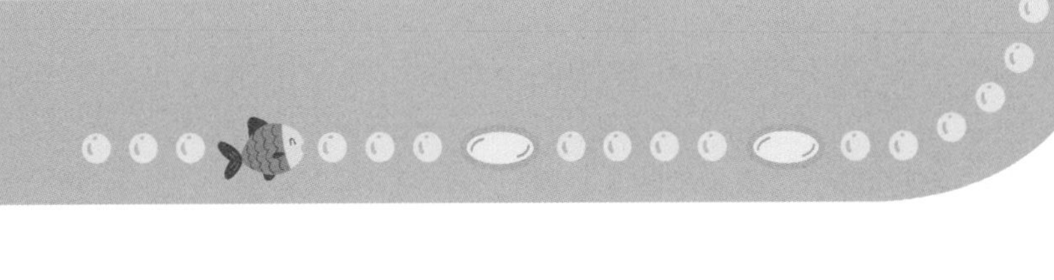

풍선의 세 수를 넣어서 덧셈식을 2개 만들어 보세요.

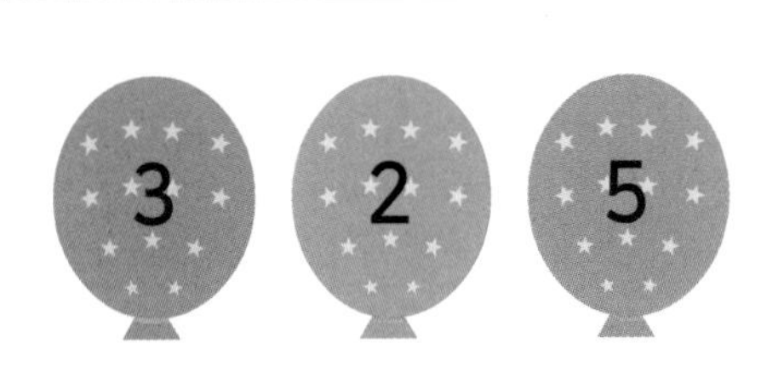

식: 2 + 3 = 5

식: 3 + 2 = 5

① 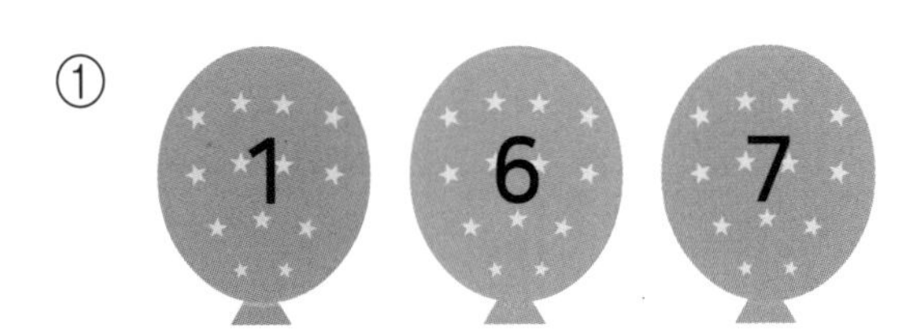

식:

식:

② 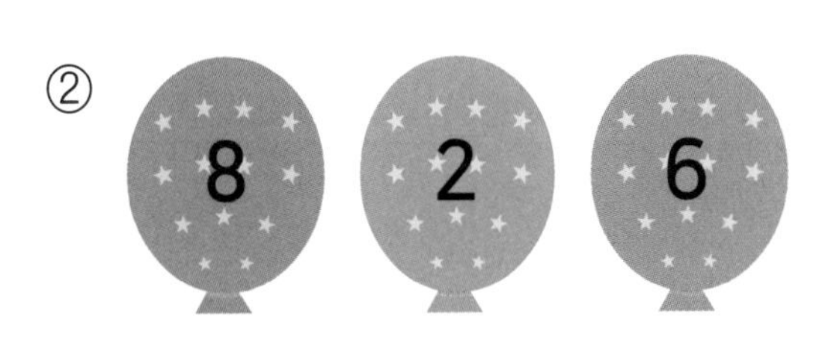

식:

식:

③ 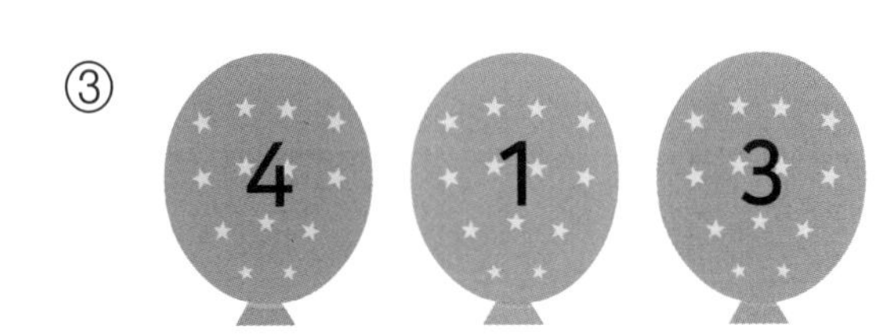

식:

식:

④ 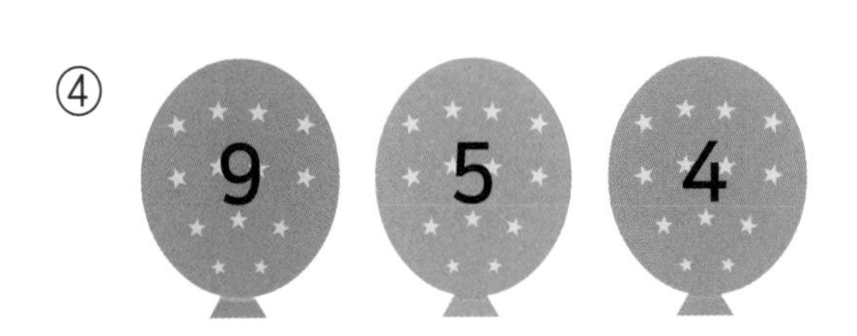

식:

식:

⑤ 

식:

식:

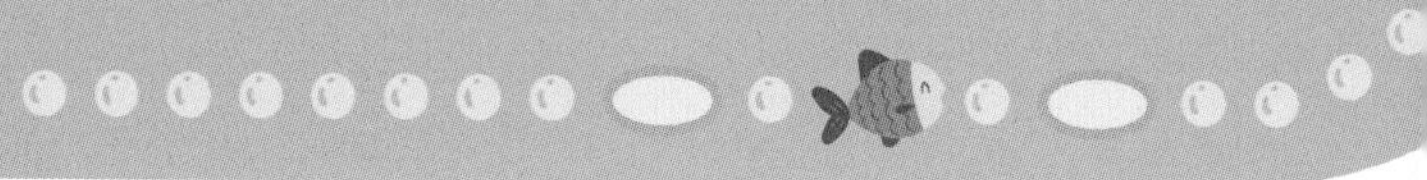

구슬의 세 수를 넣어서 덧셈식을 2개 만들어 보세요.

①

식 :

식 :

②

식 :

식 :

③

식 :

식 :

④

식 :

식 :

⑤

식 :

식 :

⑥

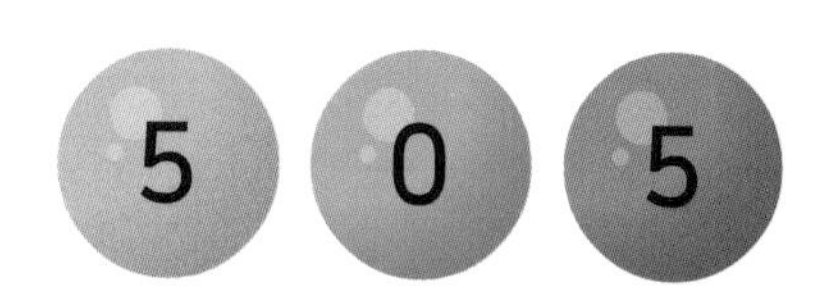

식 :

식 :

2일 덧셈식으로 뺄셈식 만들기

월 일

□에 알맞은 수를 써넣으세요.

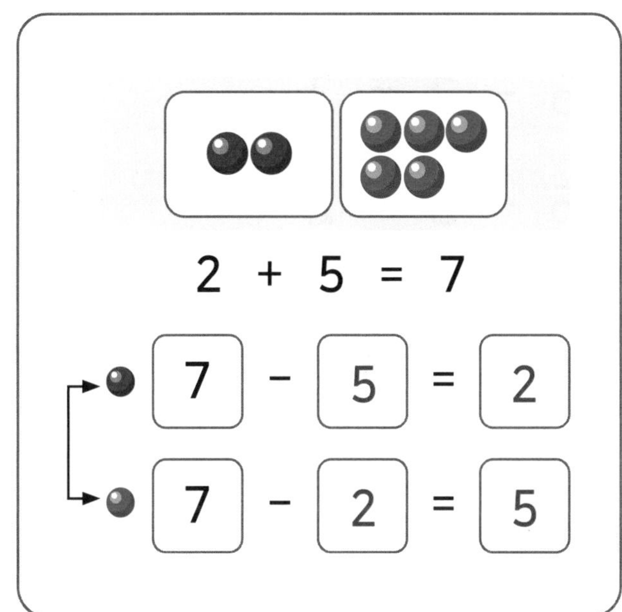

2 + 5 = 7

7 − 5 = 2

7 − 2 = 5

①

3 + 2 = 5

5 − □ = □

5 − □ = □

②

1 + 8 = 9

9 − □ = □

9 − □ = □

③

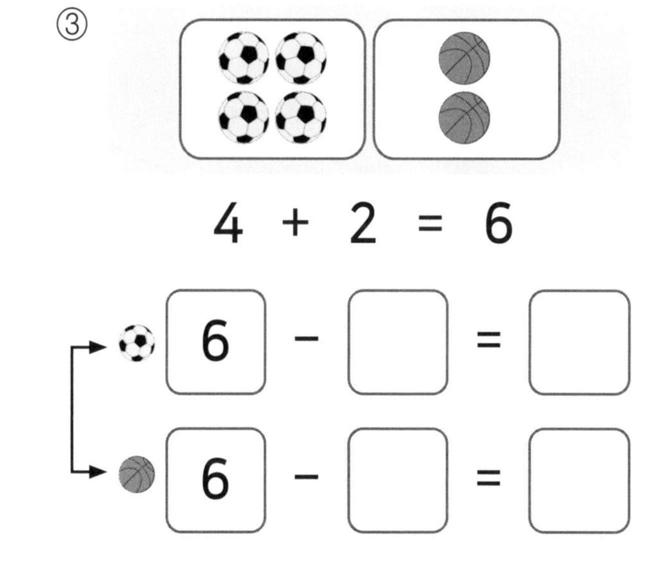

4 + 2 = 6

6 − □ = □

6 − □ = □

덧셈식을 보고 뺄셈식 2개를 만들어 보세요.

$2 + 3 = 5$ → 식: $5 - 2 = 3$
→ 식: $5 - 3 = 2$

① $6 + 2 = 8$ → 식:
→ 식:

② $3 + 6 = 9$ → 식:
→ 식:

③ $1 + 7 = 8$ → 식:
→ 식:

④ $2 + 4 = 6$ → 식:
→ 식:

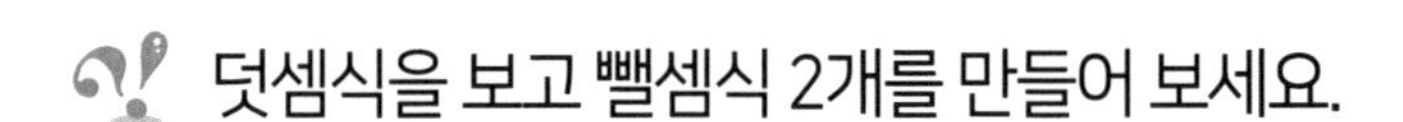

덧셈식을 보고 뺄셈식 2개를 만들어 보세요.

① $4 + 3 = 7$

식 :

식 :

② $4 + 5 = 9$

식 :

식 :

③ $5 + 1 = 6$

식 :

식 :

④ $2 + 6 = 8$

식 :

식 :

⑤ $1 + 4 = 5$

식 :

식 :

3일 뺄셈식으로 덧셈식 만들기

월 일

□에 알맞은 수를 써넣으세요.

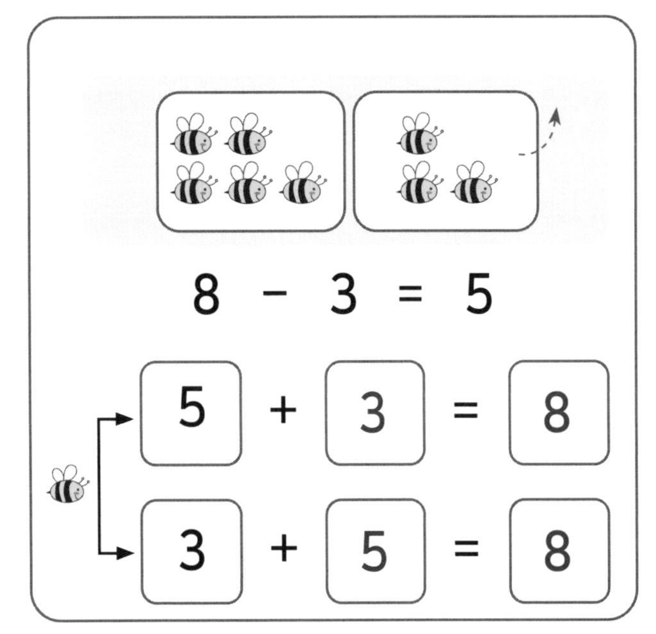

8 − 3 = 5

5 + 3 = 8

3 + 5 = 8

①

7 − 3 = 4

4 + □ = □

3 + □ = □

②

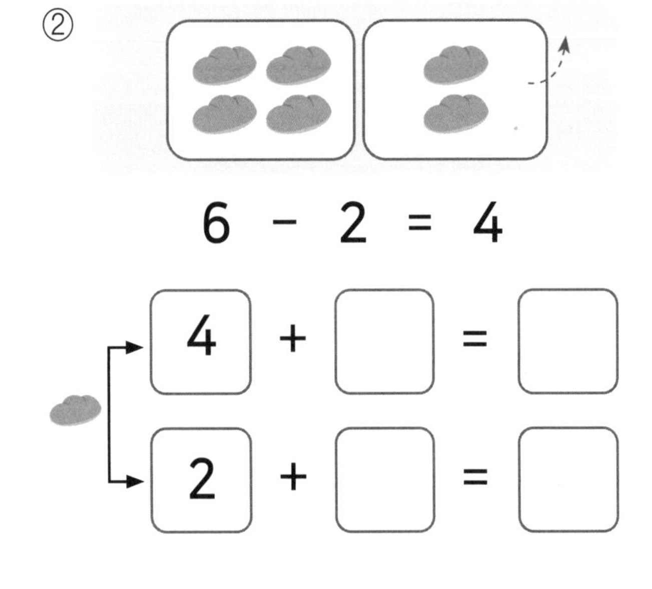

6 − 2 = 4

4 + □ = □

2 + □ = □

③

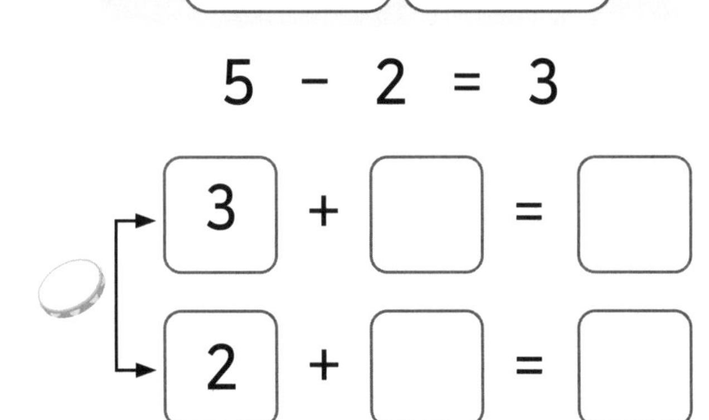

5 − 2 = 3

3 + □ = □

2 + □ = □

빨셈식을 보고 덧셈식 2개를 만들어 보세요.

$6 - 4 = 2$ → 식: $2 + 4 = 6$
→ 식: $4 + 2 = 6$

① $7 - 4 = 3$ → 식:
→ 식:

② $8 - 2 = 6$ → 식:
→ 식:

③ $9 - 2 = 7$ → 식:
→ 식:

④ $6 - 5 = 1$ → 식:
→ 식:

빼셈식을 보고 덧셈식 2개를 만들어 보세요.

① $7 - 2 = 5$

식 : ______

식 : ______

② $9 - 5 = 4$

식 : ______

식 : ______

③ $5 - 1 = 4$

식 : ______

식 : ______

④ $8 - 3 = 5$

식 : ______

식 : ______

⑤ $6 - 4 = 2$

식 : ______

식 : ______

덧셈, 뺄셈식 만들기

공의 개수를 구하는 서로 다른 식을 4개 완성해 보세요.

전체 공 : $2 + 3 = 5$

$3 + 2 = 5$

파란색 공 : $5 - 2 = 3$

빨간색 공 : $5 - 3 = 2$

3 + 2 = 5
5 - 2 = 3
5 - 3 = 2

①

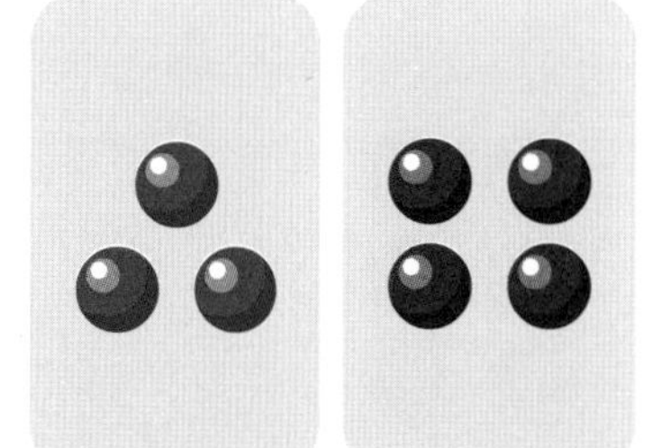

3 + 4 = 7
7 - 3 = 4

②

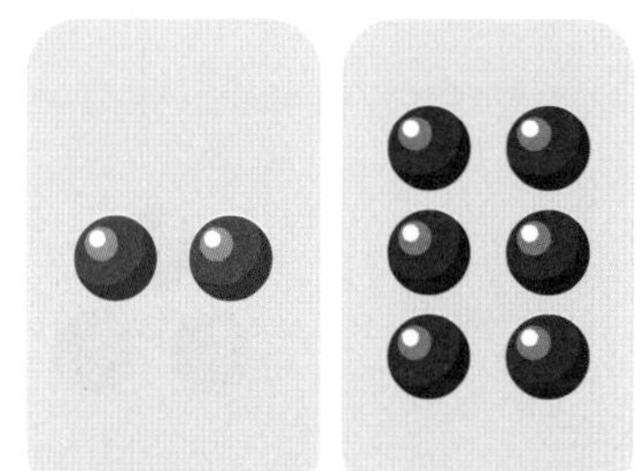

2 + 6 = 8
8 - 2 = 6

③

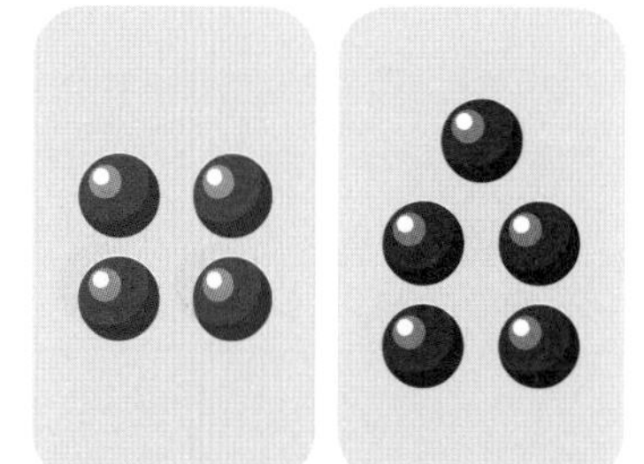

4 + 5 = 9
9 - 4 = 5

공의 개수를 구하는 서로 다른 식을 4개 만들어 보세요.

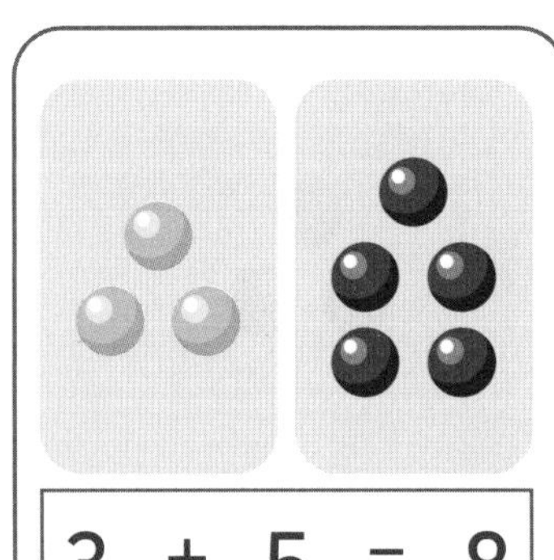

3 + 5 = 8
5 + 3 = 8
8 − 3 = 5
8 − 5 = 3

①

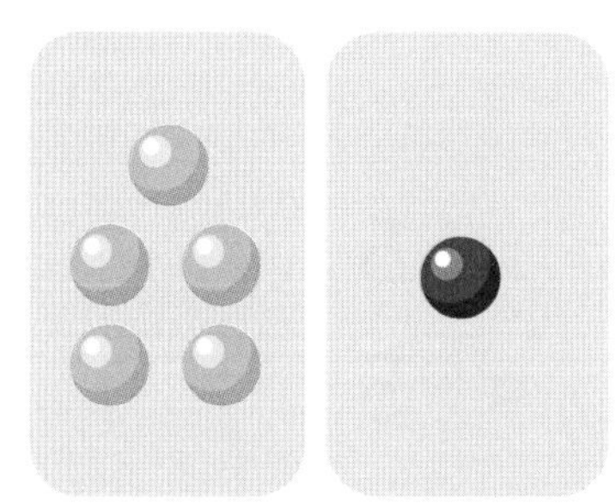

②

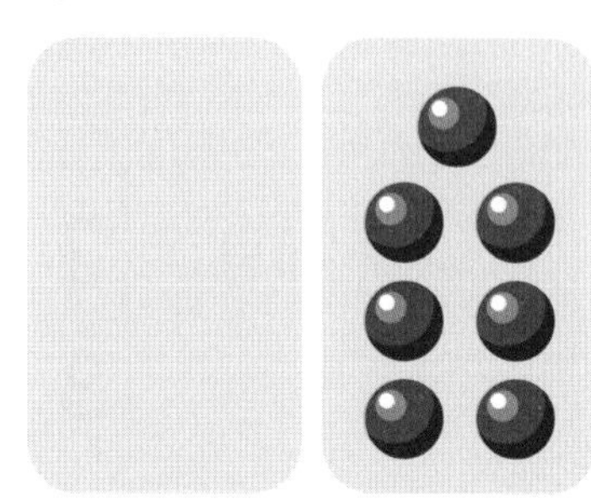

③

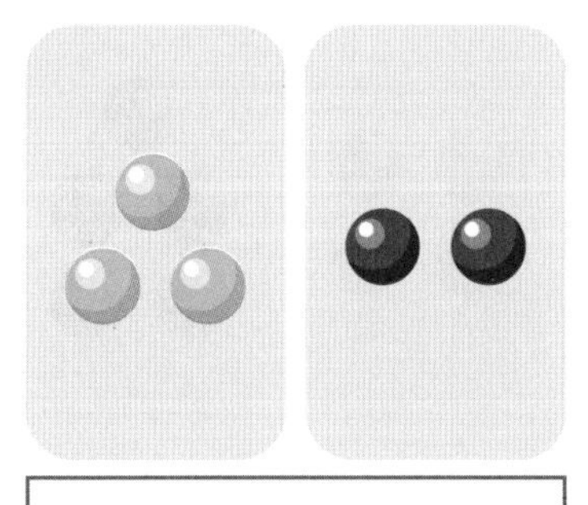

④

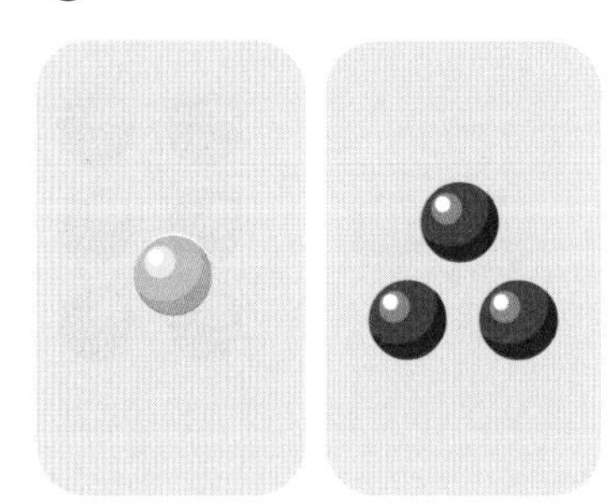

⑤

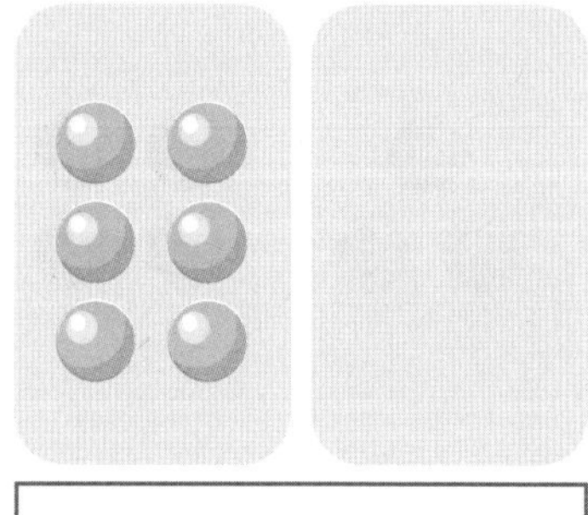

사탕의 개수를 구하는 서로 다른 식을 4개 만들어 보세요.

①

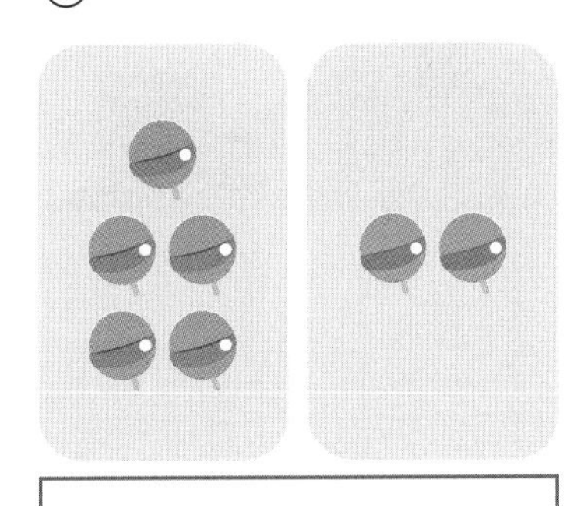

②

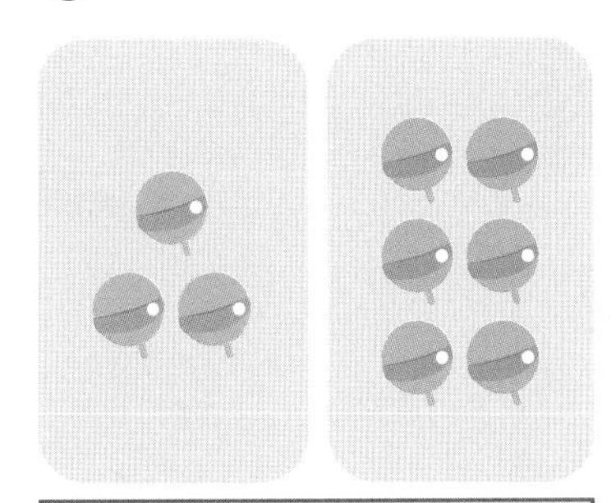

③

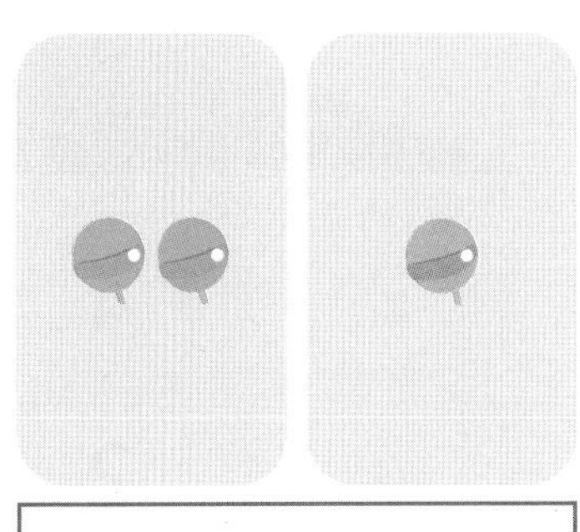

④

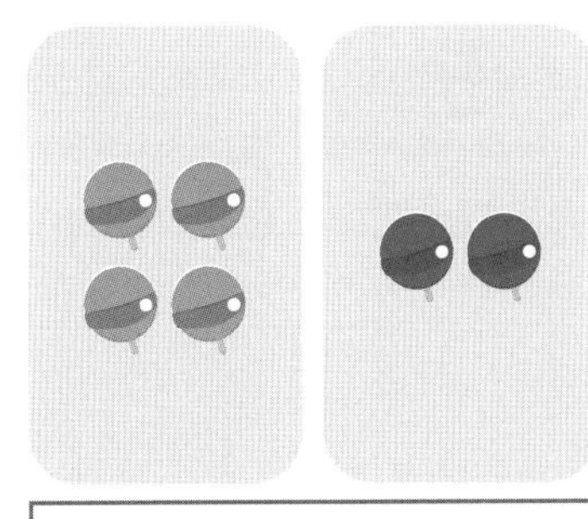

⑤

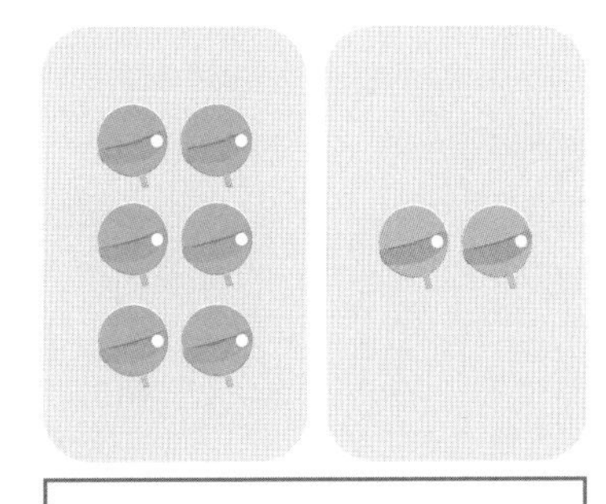

⑥

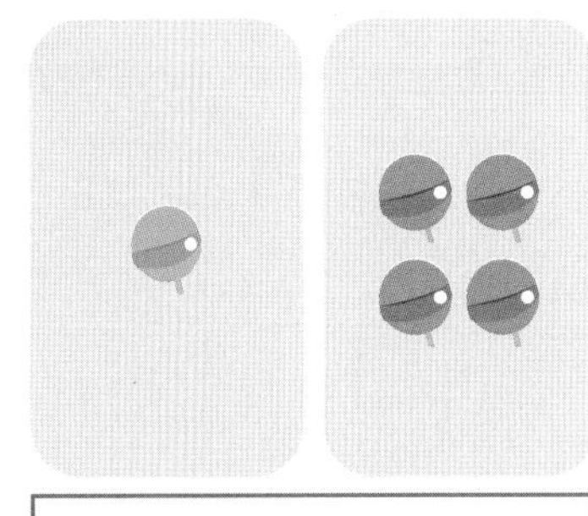

세 수로 덧셈, 뺄셈식 만들기

세 수가 들어간 4가지 식을 만들었습니다. □에 알맞은 수를 써넣으세요.

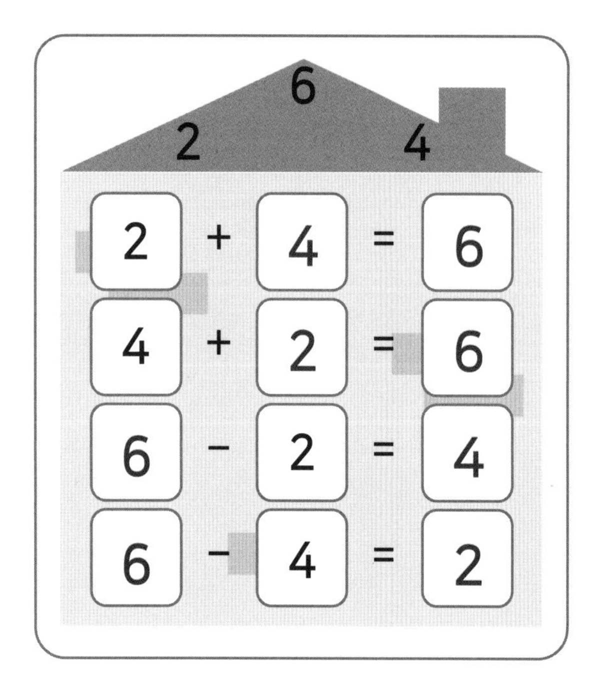

① 8, 3, 5

3 + □ = □

5 + □ = □

□ - 3 = □

□ - 5 = □

② 7, 1, 6

1 + □ = □

6 + □ = □

□ - 1 = □

□ - 6 = □

③ 5, 5, 0

5 + □ = □

0 + □ = □

□ - 0 = 5

□ - 5 = □

세 수를 이용하여 4가지 식을 만들어 보세요.

식: $3 + 7 = 10$

식: $7 + 3 = 10$

식: $10 - 3 = 7$

식: $10 - 7 = 3$

①

식 :

식 :

식 :

식 :

②

2

식 :

식 :

식 :

식 :

③

식 :

식 :

식 :

식 :

4가지 식을 만들 수 있는 세 수에 ◯표 하세요.

5+2=7　　7-2=5
2+5=7　　7-5=2

1	3	9	6

4	2	5	9

6	4	1	7

8	3	5	9

2	7	5	8

6	1	8	5

7	9	3	6

3	6	5	8

5	1	7	4

□가 있는 덧셈식과 뺄셈식

□가 포함되어 있는 덧셈식과 뺄셈식에서 □의 값을 구합니다. 덧셈식과 뺄셈식의 관계를 이용하여 식을 변경하여 □의 값을 구하는 것보다는 그림을 통하여 직관적으로 □의 값을 구하도록 구성하였습니다.

□가 있는 식 세우기

공부한 날~! 월 일

□가 들어간 식을 만들어 보세요.

□ + (아이스크림 2개) = (아이스크림 8개)

식: □ + 2 = 8

① □ + (아이스크림) = (아이스크림)

식:

②

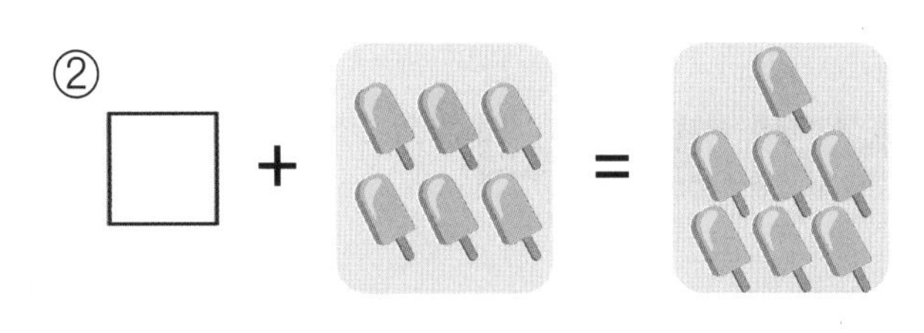

식:

③ □ + (아이스크림) = (아이스크림)

식:

(사탕) → (사탕)

식: 3 + □ = 7

④

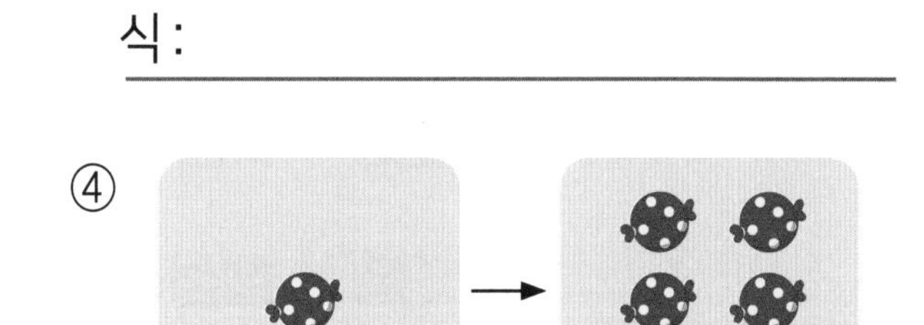

식:

⑤

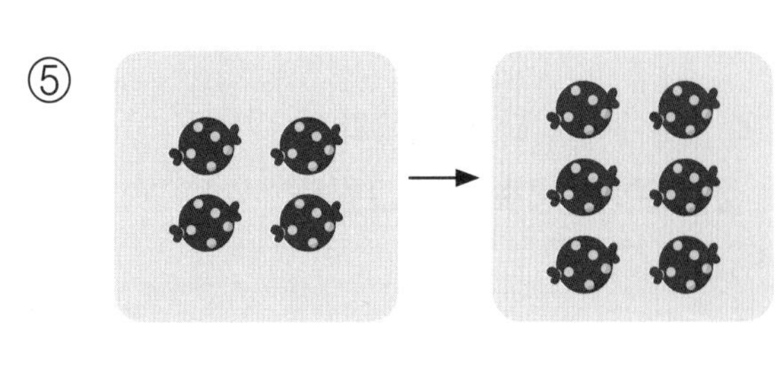

식:

⑥

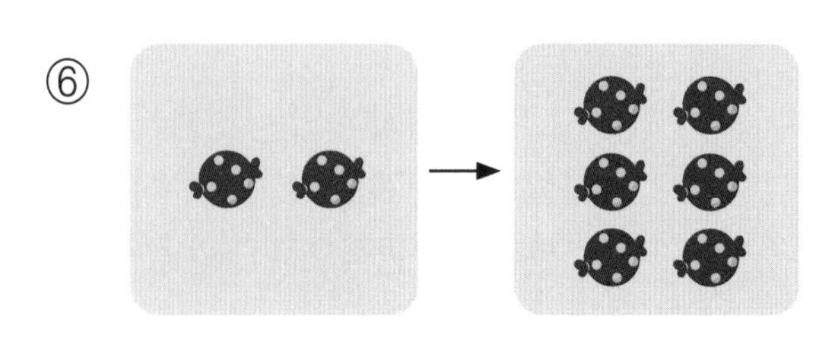

식:

□가 들어간 뺄셈식을 만들어 보세요.

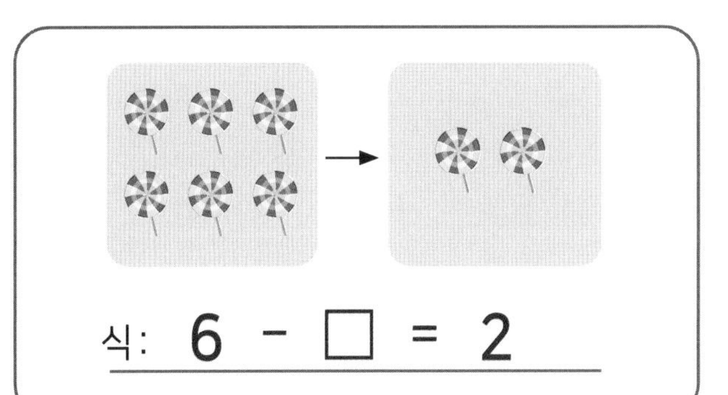

①

식 :

②

식 :

③

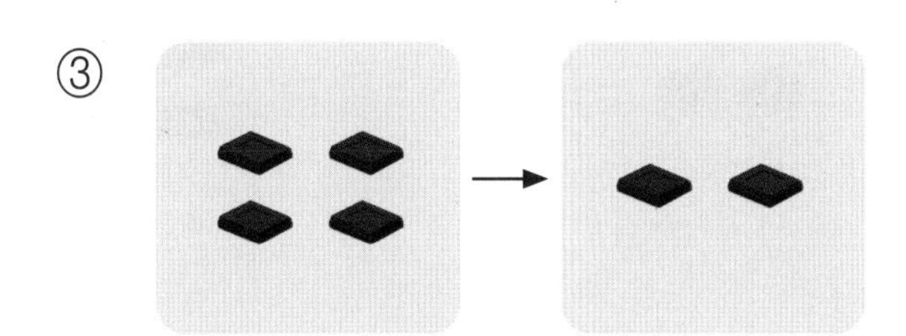

식 :

④

식 :

⑤

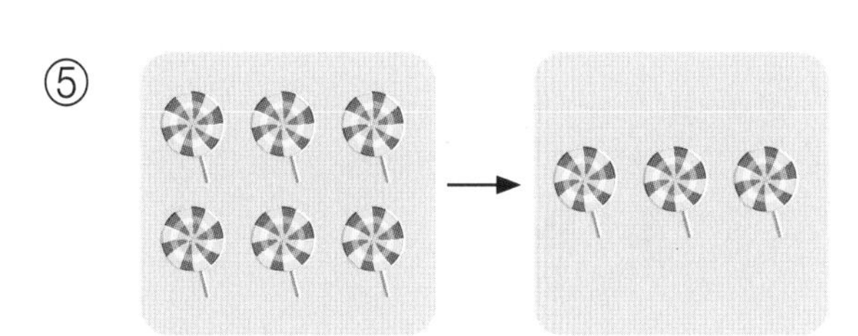

식 :

덧셈식에서 □ 구하기

빈 곳에 개수만큼 선을 그려 넣고 □에 알맞은 수를 써넣으세요.

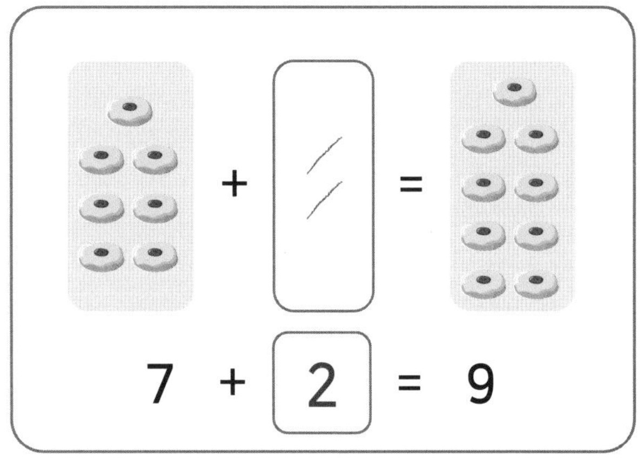

7 + 2 = 9

① 1 + □ = 7

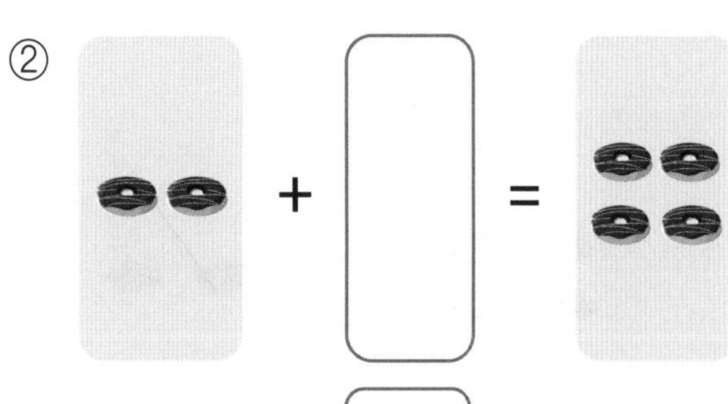

② 2 + □ = 4

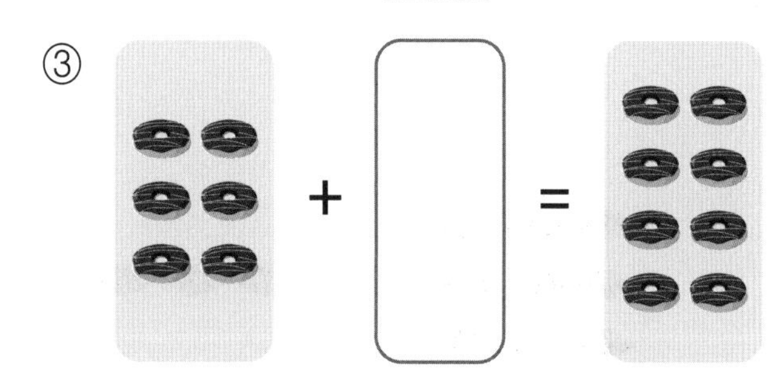

③ 6 + □ = 8

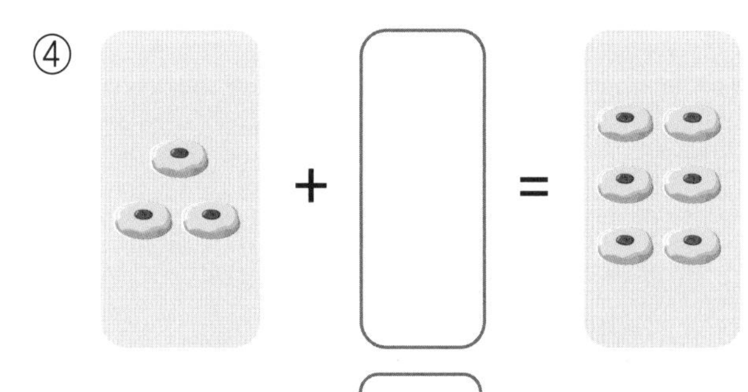

④ 3 + □ = 6

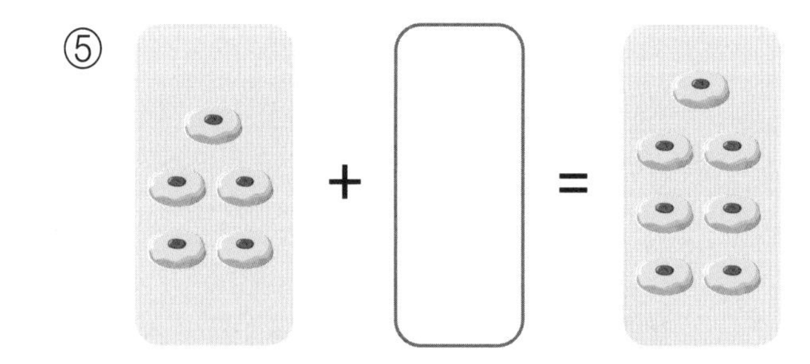

⑤ 5 + □ = 7

Tip

덧셈식을 뺄셈식으로 바꾸어 구할 수 있지만 여기서는 몇을 더해야 주어진 결과가 나오는지를 직접 세어가면서 구해보도록 하였습니다.

빈 곳에 개수만큼 선을 그려 넣고 □에 알맞은 수를 써넣으세요.

1 + 2 = 3

①

□ + 8 = 9

②

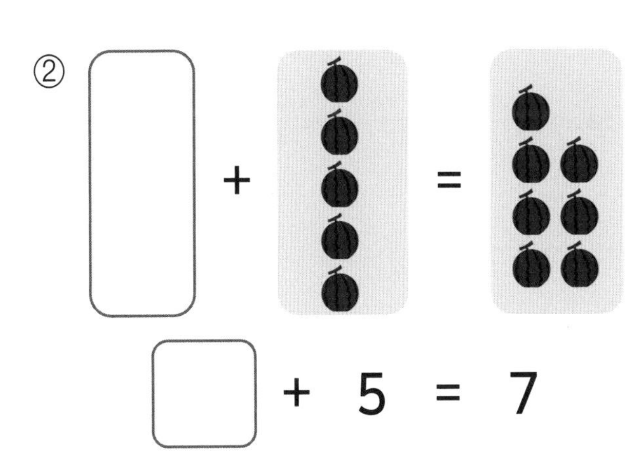

□ + 5 = 7

③

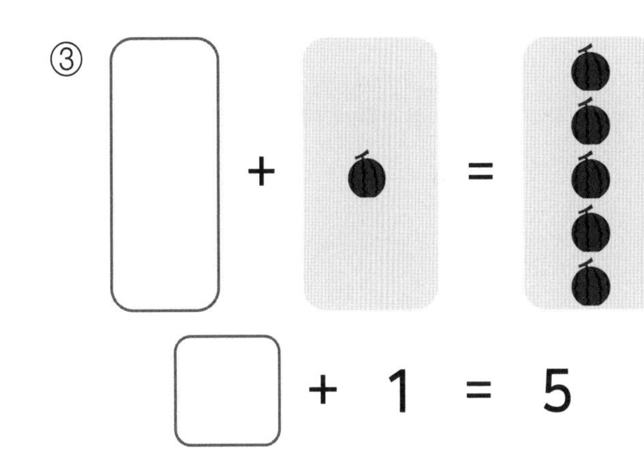

□ + 1 = 5

④

□ + 2 = 5

⑤

□ + 6 = 7

□에 들어갈 수가 같은 식끼리 선을 이으세요.

4+3=7

$4 + \square = 7$	$\square + 3 = 5$	$4 + 3 = \square$
$0 + \square = 7$	$\square + 2 = 5$	$5 + \square = 7$

3+2=5

$1 + \square = 6$	$\square + 4 = 8$	$4 + 2 = \square$
$4 + \square = 9$	$\square + 2 = 8$	$1 + \square = 5$

$\square + 3 = 7$	$\square + 3 = 4$	$6 + \square = 8$
$5 + \square = 6$	$\square + 1 = 3$	$2 + 2 = \square$

3일 뺄셈식에서 □ 구하기

빈 곳에 개수만큼 선을 그려 넣고 □에 알맞은 수를 써넣으세요.

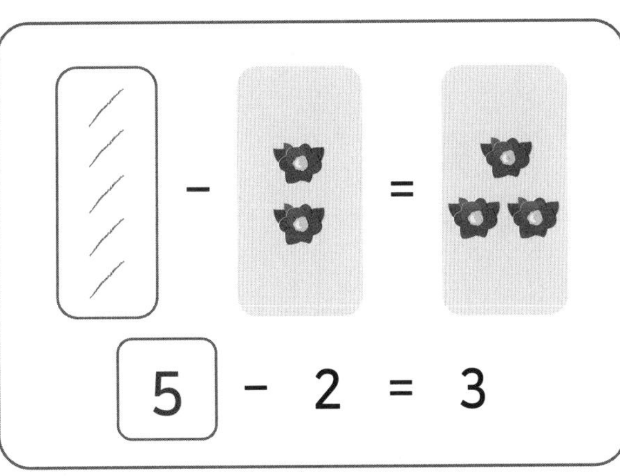

5 - 2 = 3

① □ - 4 = 2

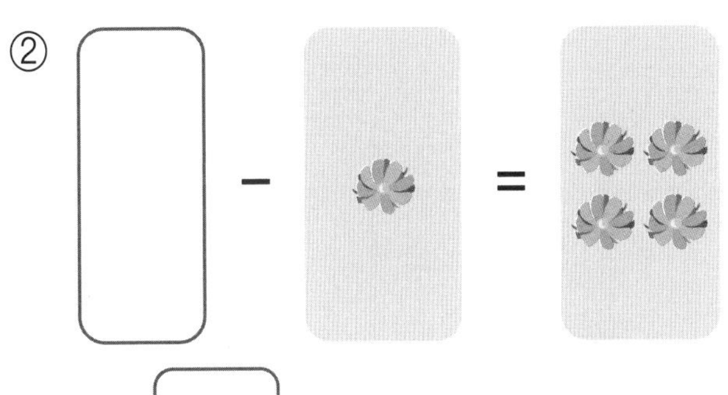

② □ - 1 = 4

③ □ - 3 = 5

④ □ - 4 = 3

⑤ □ - 3 = 3

Tip

뺄셈식을 덧셈식으로 바꾸어 구할 수 있지만 여기서는 빼어지는 수나 빼는 수를 직접 세어가면서 구해보도록 하였습니다.

빈 곳에 개수만큼 선을 그려 넣고 □에 알맞은 수를 써넣으세요.

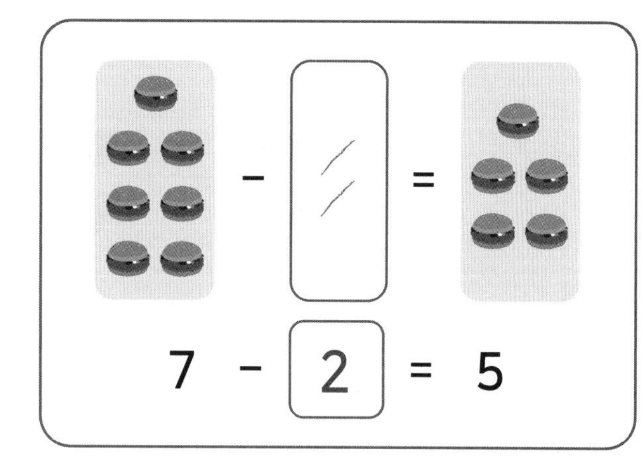

7 - 2 = 5

① 4 - □ = 1

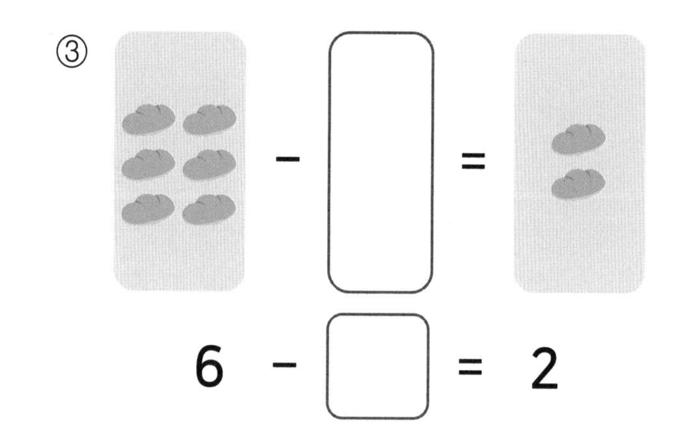

② 9 - □ = 6

③ 6 - □ = 2

④ 5 - □ = 4

⑤ 8 - □ = 6

□에 들어갈 수가 가장 큰 것에 ◯표 하세요.

6-2=4

6 - □ = 4

7-4=3

□ - 4 = 3

8-6=2

8 - □ = 2

4 - □ = 3

8 - 2 = □

□ - 3 = 6

7 - □ = 6

5 - □ = 3

2 - □ = 2

9 - □ = 5

8 - □ = 4

7 - 1 = □

5 - □ = 3

8 - 1 = □

4 - □ = 0

9 - □ = 1

1 - 1 = □

□ - 6 = 1

수직선과 수 막대

□에 알맞은 수를 써넣으세요.

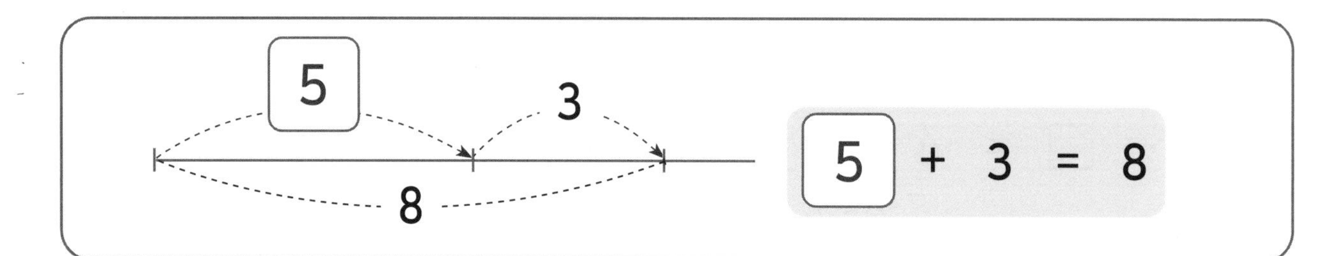

① 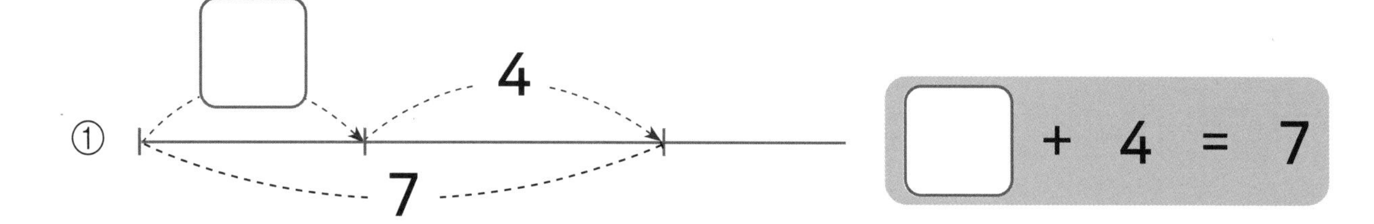

② 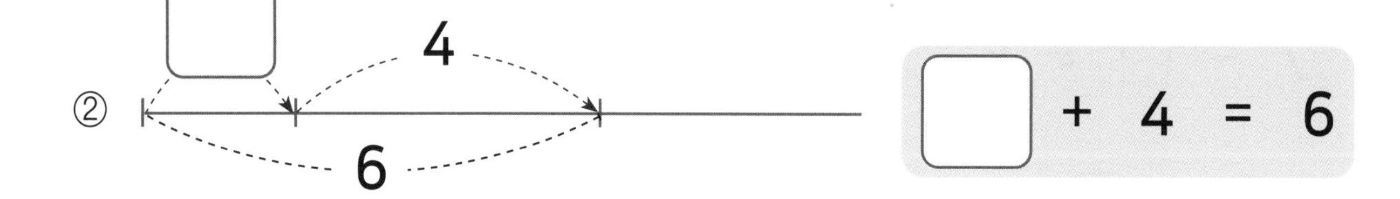

③ 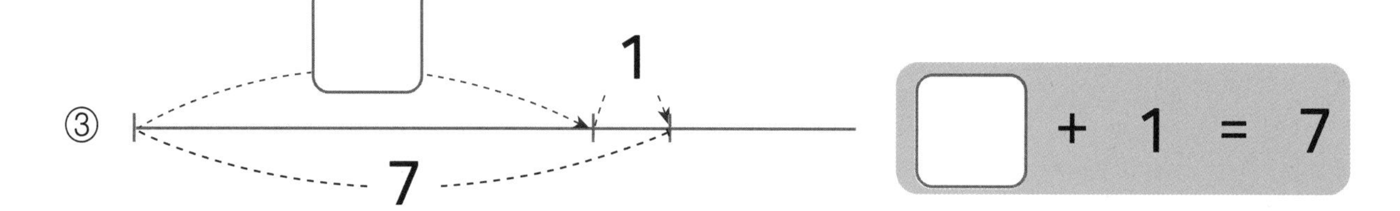

④ 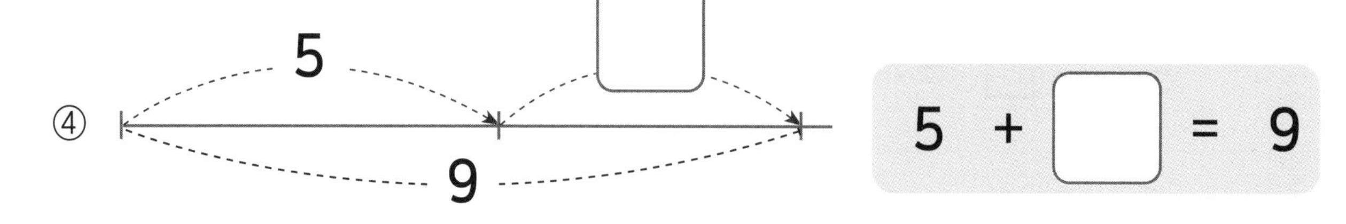

⑤ 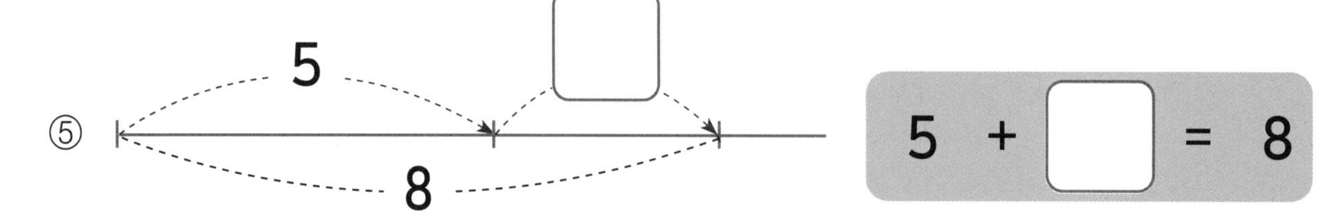

□에 알맞은 수를 써넣으세요.

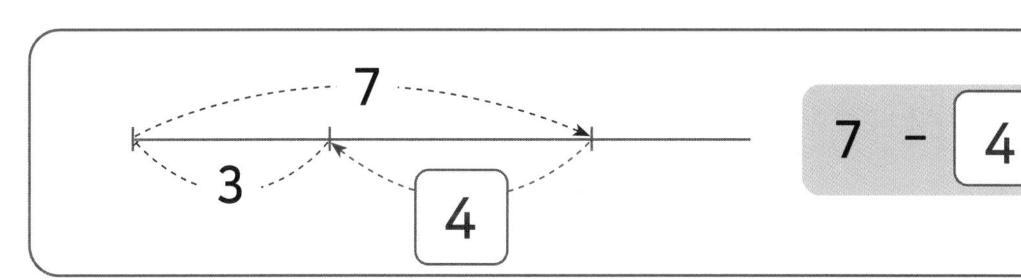

7 - [4] = 3

①

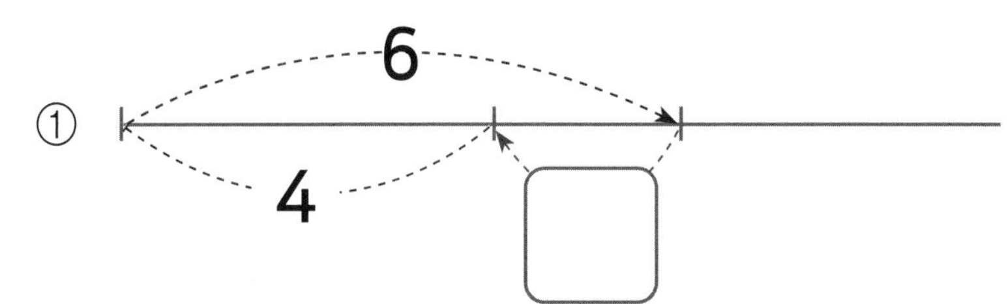

6 - □ = 4

②

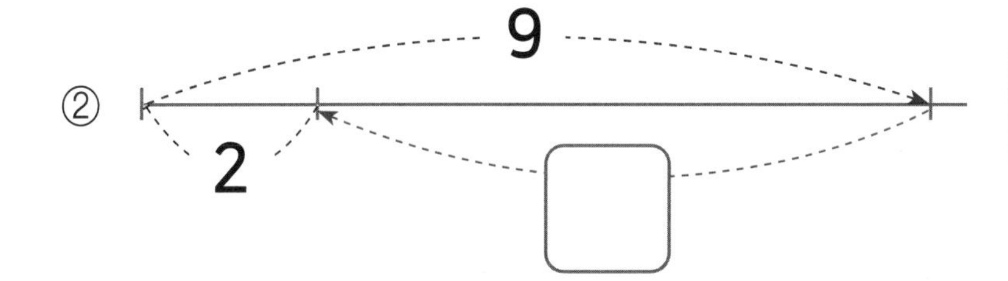

9 - □ = 2

③

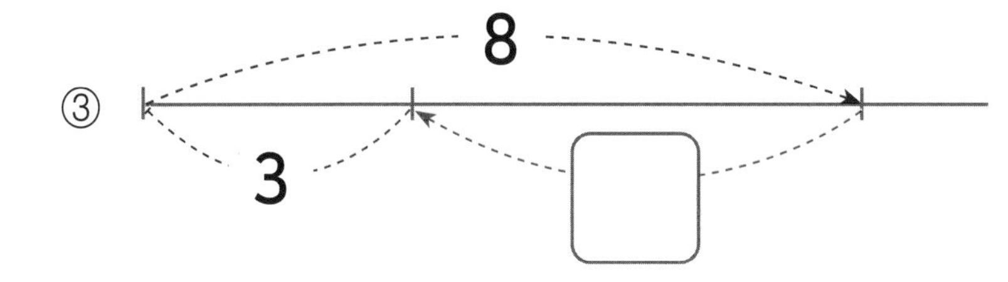

8 - □ = 3

④

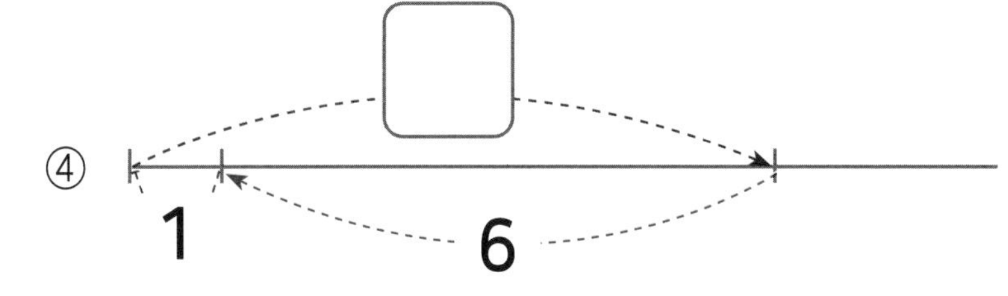

□ - 6 = 1

⑤

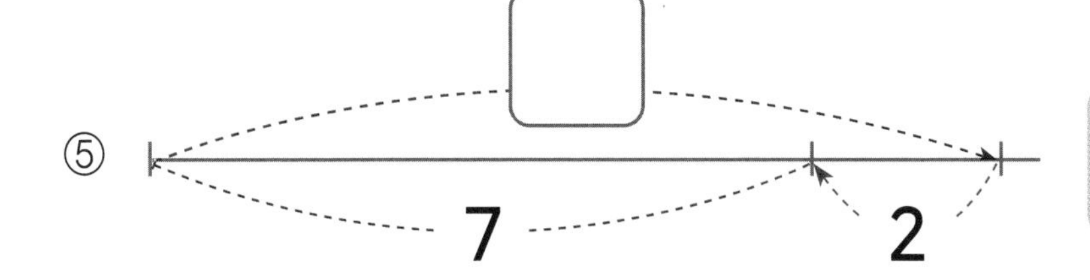

□ - 2 = 7

□에 알맞은 수를 써넣으세요.

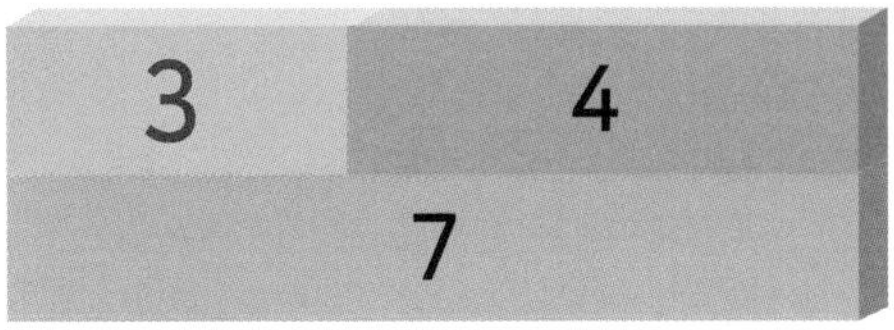

3	4
7	

$\boxed{3} + 4 = 7$

①

	2
8	

$\square + 2 = 8$

②

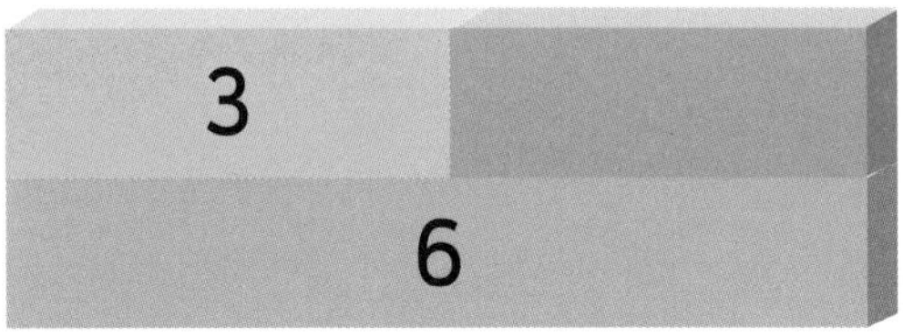

3	
6	

$3 + \square = 6$

③

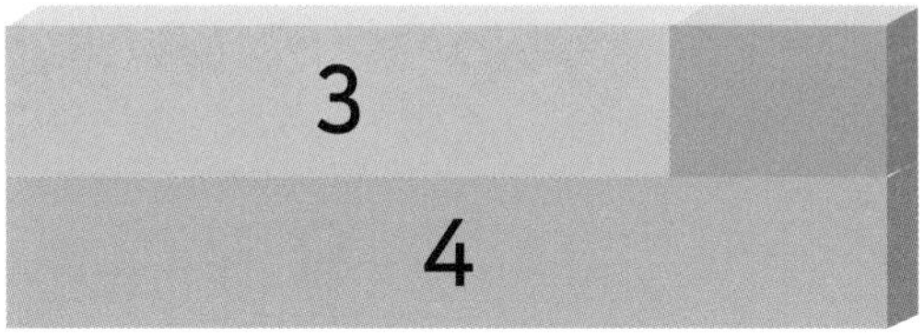

3	
4	

$3 + \square = 4$

④

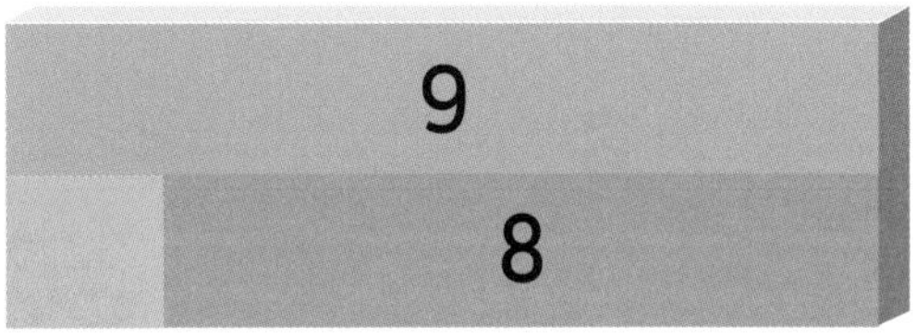

9	
	8

$9 - \square = 8$

⑤

8	
	3

$8 - \square = 3$

⑥

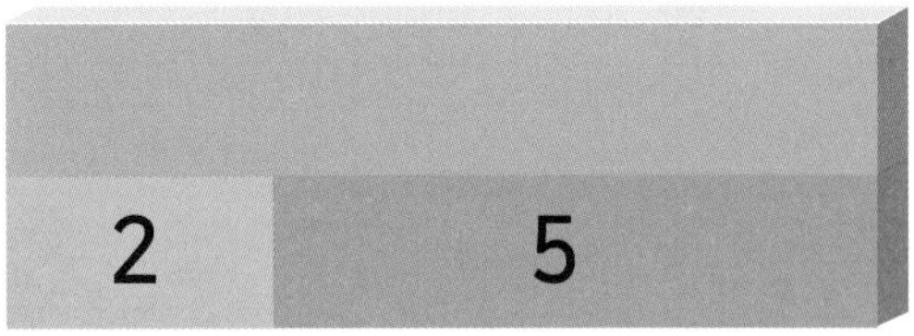

2	5

$\square - 2 = 5$

⑦

7	1

$\square - 7 = 1$

글과 그림을 보고 물음에 알맞은 □가 들어간 식을 세우고 답을 구하세요.

문 앞과 집 안에 있는 우산을 모두 세어 보았더니 빨간색 우산이 5개, 노란색 우산이 3개가 있었습니다. 그 중에서 문 앞에 있는 우산은 빨간색과 노란색 우산 2개씩입니다.

★ 집 안에 있는 빨간색 우산은 모두 몇 개일까요?

식 : $2 + \square = 5$ 답 : 3 개

① 집 안에 있는 노란색 우산은 모두 몇 개일까요?

식 : ______ 답 : ______ 개

5일

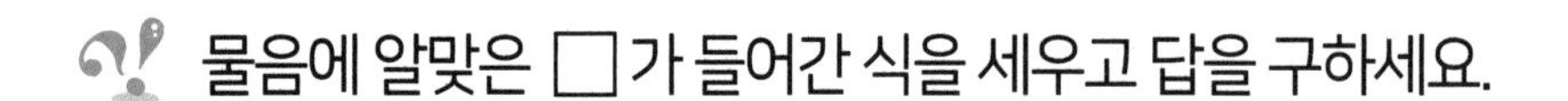

물음에 알맞은 □가 들어간 식을 세우고 답을 구하세요.

① 왼손과 오른손에 있는 사탕을 합치니 6개가 되었습니다. 오른손에 있는 사탕은 몇 개일까요?

식 : ______________________ 답 : ______ 개

② 영철이는 구슬 8개를 가지고 있다가 친구에게 몇 개를 주었더니 2개의 구슬이 남았습니다. 친구에게 준 구슬은 몇 개일까요?

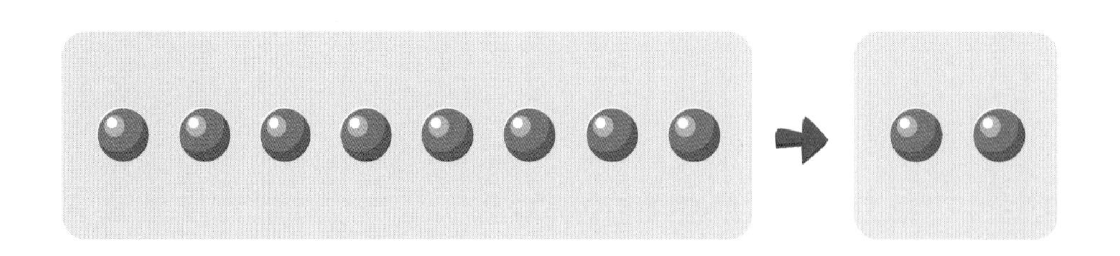

식 : ______________________ 답 : ______ 개

물음에 알맞은 □가 들어간 식을 세우고 답을 구하세요.

① 검은 바둑돌 6개와 흰 바둑돌 몇 개를 합쳤더니 바둑돌 8개가 되었습니다. 흰 바둑돌은 몇 개일까요?

식 : ______________________ 답 : ______ 개

② 꽃밭에 나비 7마리가 있었는데 몇 마리가 날아가서 2마리가 되었습니다. 날아간 나비는 몇 마리일까요?

식 : ______________________ 답 : ______ 마리

③ 토끼에게 당근 5개를 주었더니 몇 개를 먹고 4개가 남았습니다. 토끼가 먹은 당근은 몇 개일까요?

식 : ______________________ 답 : ______ 개

물음에 알맞은 □가 들어간 식을 세우고 답을 구하세요.

① 강아지 3마리가 있는데 몇 마리가 더 와서 모두 7마리가 되었습니다. 나중에 온 강아지는 몇 마리일까요?

식 : ______________________ 답 : ______ 마리

② 어머니께서 사과 7개를 사오시는 길에 몇 개를 드시고 4개가 남았습니다. 어머니께서 드신 사과는 몇 개일까요?

식 : ______________________ 답 : ______ 개

③ 연필 4자루가 있는데 친구가 몇 자루를 줘서 모두 9자루가 되었습니다. 친구가 준 연필은 몇 자루일까요?

식 : ______________________ 답 : ______ 자루

도전! 계산왕

□ 구하기

공부한 날	월 일
점수	/6

□ 가 들어간 식을 만들어 보세요.

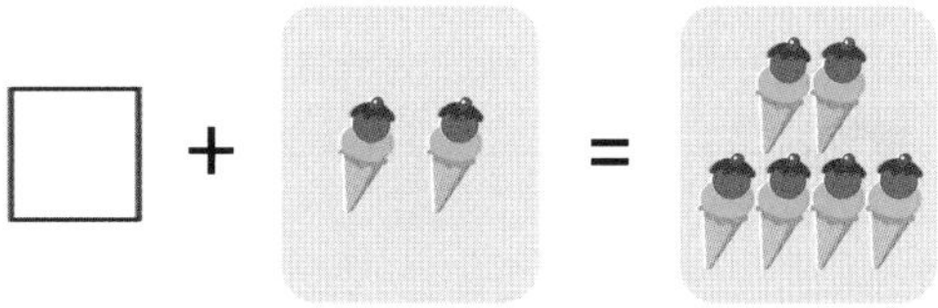

식: □ + 2 = 6

① 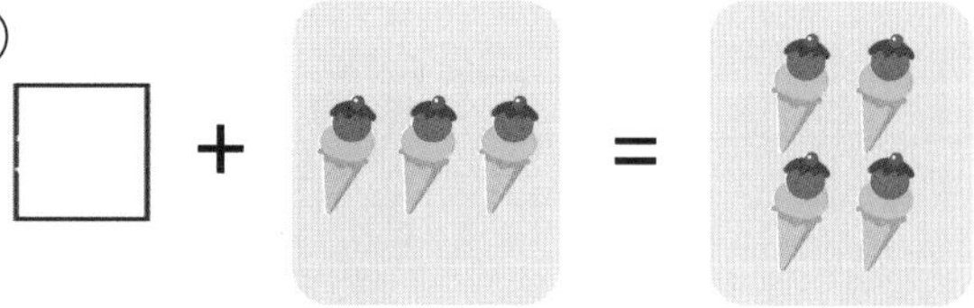

식:

② 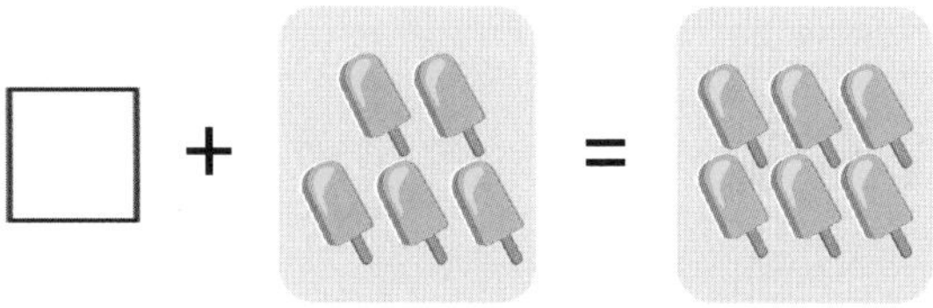

식:

③ 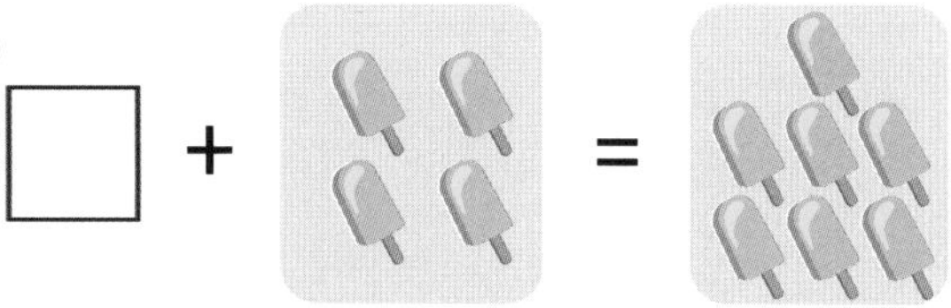

식:

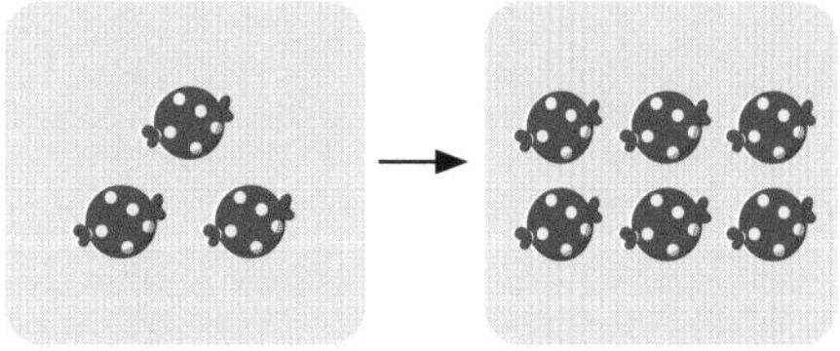

식: 3 + □ = 6

④ 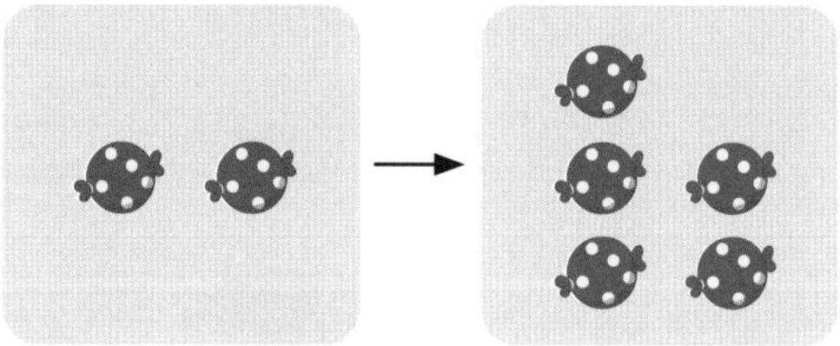

식:

⑤ 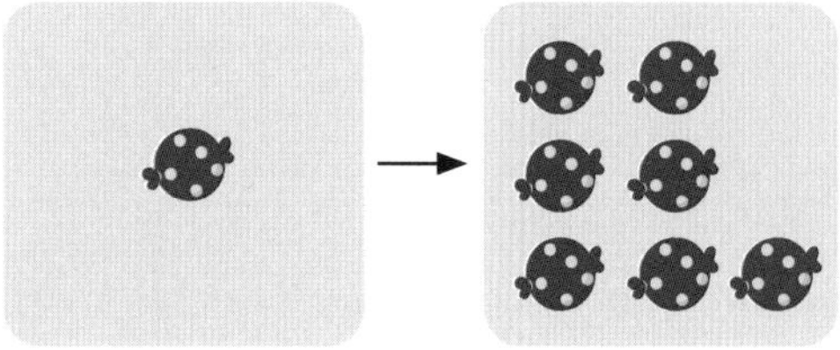

식:

⑥ 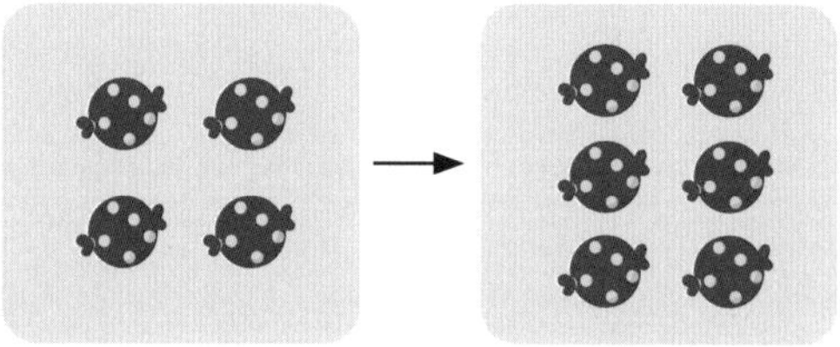

식:

□ 구하기

공부한 날 월 일
점 수 /14

□에 알맞은 수를 써넣으세요.

① $3 + \square = 5$

② $1 + \square = 6$

③ $2 + \square = 4$

④ $5 + \square = 7$

⑤ $\square + 4 = 8$

⑥ $\square + 1 = 3$

⑦ $\square + 3 = 9$

⑧ $\square - 1 = 5$

⑨ $\square - 2 = 7$

⑩ $\square - 5 = 3$

⑪ $8 - \square = 4$

⑫ $9 - \square = 2$

⑬ $4 - \square = 1$

⑭ $8 - \square = 6$

□ 구하기

공부한 날	월 일
점 수	/5

□가 들어간 뺄셈식을 만들어 보세요.

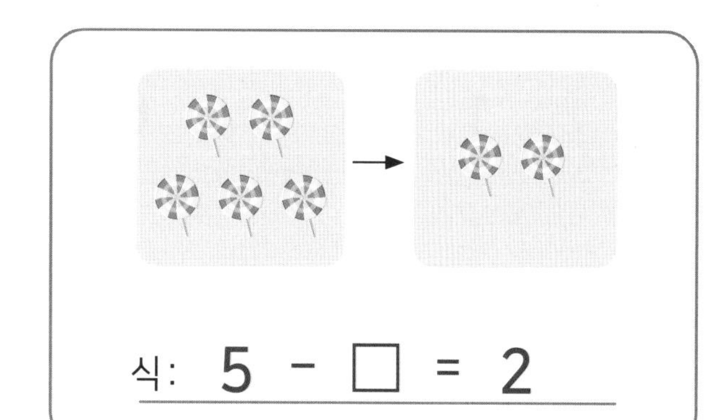

식: 5 - □ = 2

①

식 :

②

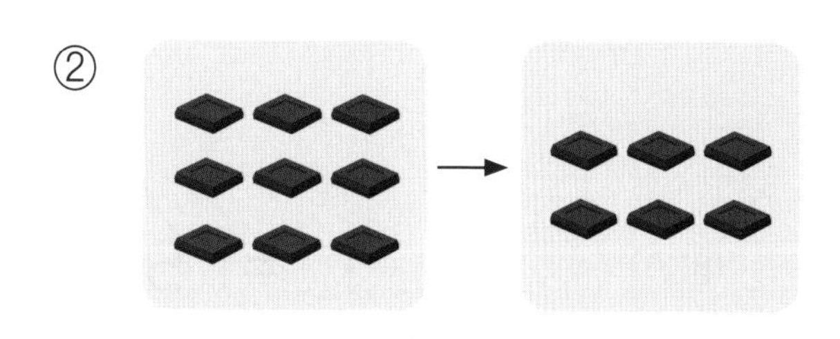

식 :

③

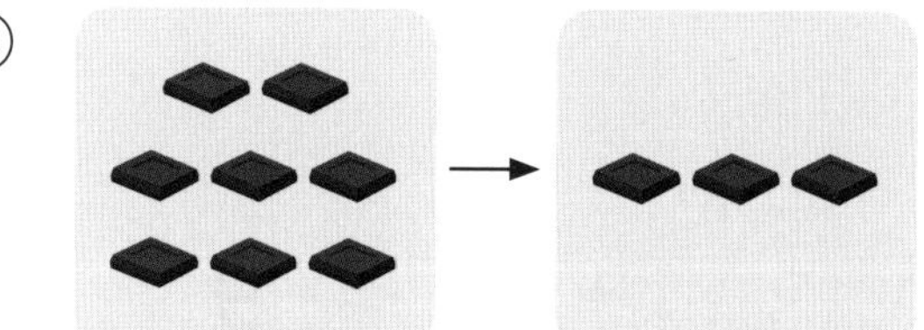

식 :

④

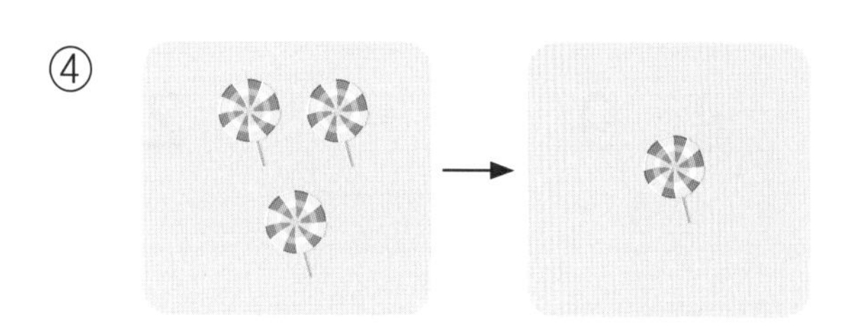

식 :

⑤

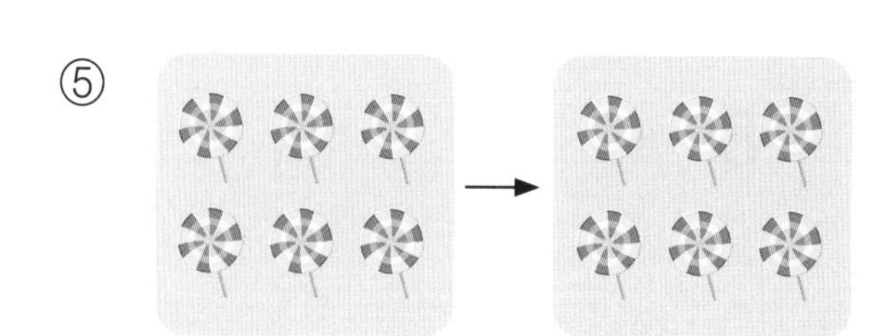

식 :

□ 구하기

공부한 날	월 일
점 수	/ 14

□에 알맞은 수를 써넣으세요.

① $2 + \square = 7$

② $3 + \square = 5$

③ $5 + \square = 9$

④ $1 + \square = 3$

⑤ $\square + 4 = 6$

⑥ $\square + 1 = 3$

⑦ $\square + 3 = 9$

⑧ $\square - 1 = 5$

⑨ $\square - 2 = 7$

⑩ $\square - 5 = 3$

⑪ $8 - \square = 4$

⑫ $9 - \square = 2$

⑬ $4 - \square = 1$

⑭ $8 - \square = 6$

□ 구하기

공부한 날	월 일
점수	/5

빈 곳에 개수만큼 선을 그려 넣고 □에 알맞은 수를 써넣으세요.

(예시) [1] + 3 = 4

① □ + 6 = 8

② □ + 4 = 8

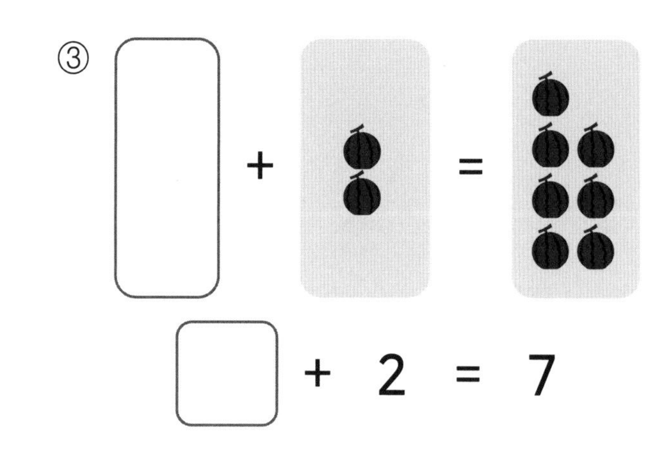

③ □ + 2 = 7

④ □ + 3 = 9

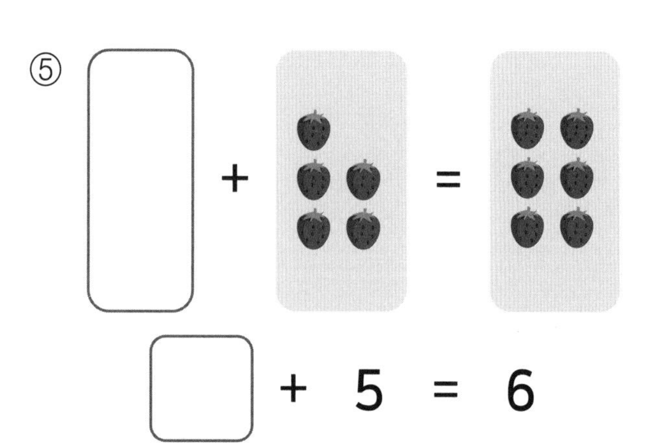

⑤ □ + 5 = 6

□ 구하기

공부한 날	월 일
점 수	/ 14

□에 알맞은 수를 써넣으세요.

① $1 + \square = 5$

② $4 + \square = 7$

③ $2 + \square = 4$

④ $3 + \square = 6$

⑤ $\square + 5 = 9$

⑥ $\square + 2 = 8$

⑦ $\square + 2 = 5$

⑧ $\square - 4 = 3$

⑨ $\square - 2 = 2$

⑩ $\square - 5 = 1$

⑪ $9 - \square = 5$

⑫ $4 - \square = 2$

⑬ $6 - \square = 3$

⑭ $8 - \square = 2$

□ 구하기

공부한 날	월 일
점 수	/5

빈 곳에 개수만큼 선을 그려 넣고 □에 알맞은 수를 써넣으세요.

(예) 5 − 1 = 4

① □ − 2 = 3

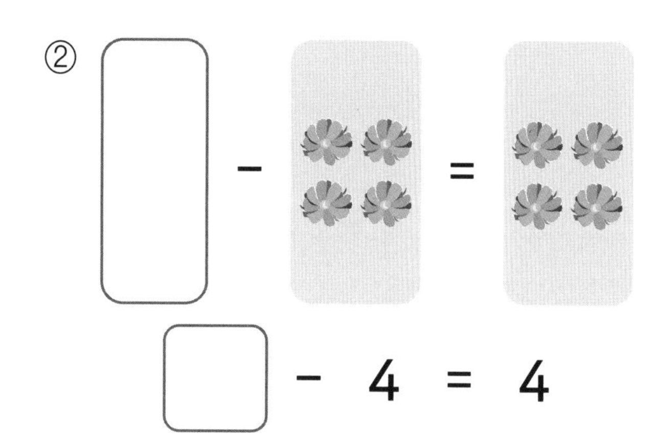

② □ − 4 = 4

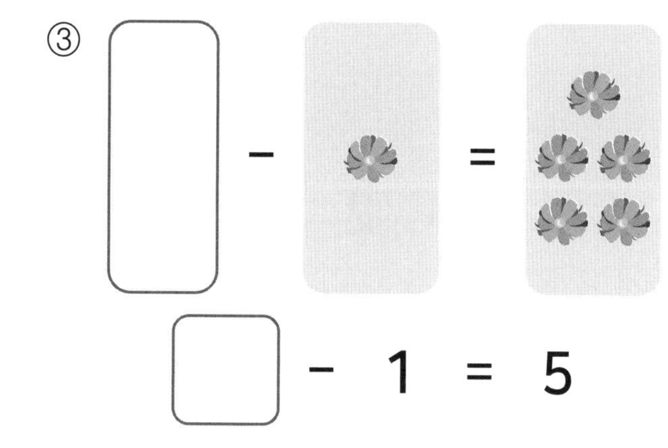

③ □ − 1 = 5

④ □ − 5 = 2

⑤ □ − 3 = 6

□ 구하기

공부한 날	월 일
점 수	/ 14

□에 알맞은 수를 써넣으세요.

① $3 + \square = 4$

② $2 + \square = 6$

③ $1 + \square = 5$

④ $5 + \square = 9$

⑤ $\square + 4 = 7$

⑥ $\square + 3 = 8$

⑦ $\square + 1 = 2$

⑧ $\square - 1 = 3$

⑨ $\square - 3 = 5$

⑩ $\square - 4 = 2$

⑪ $7 - \square = 3$

⑫ $5 - \square = 1$

⑬ $9 - \square = 4$

⑭ $8 - \square = 1$

□ 구하기

공부한 날	월 일
점 수	/7

□에 알맞은 수를 써넣으세요.

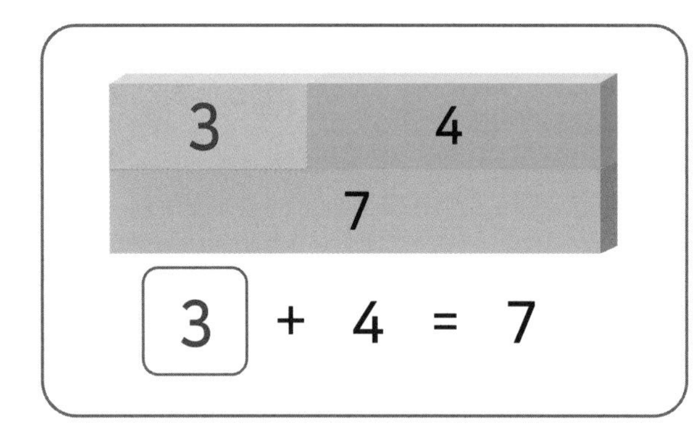

3 + 4 = 7

①
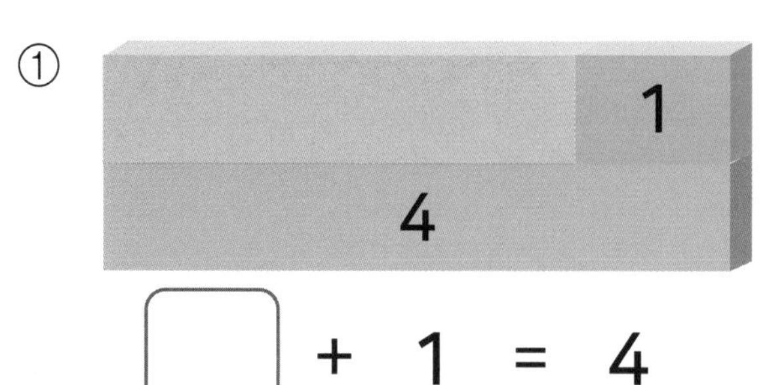

□ + 1 = 4

②
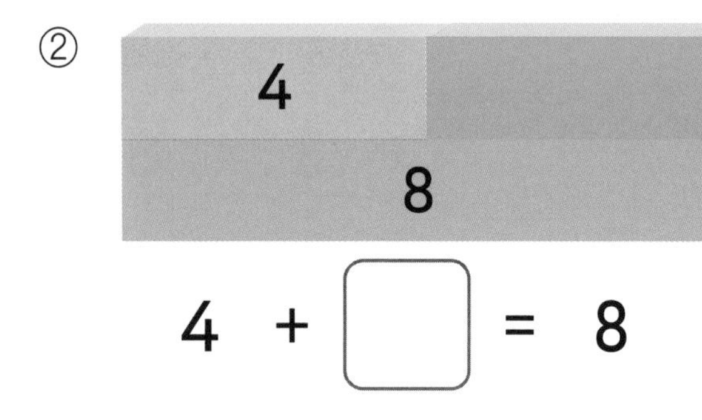

4 + □ = 8

③
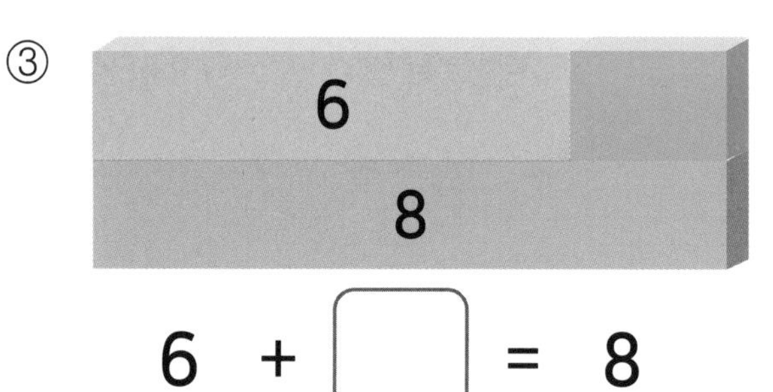

6 + □ = 8

④
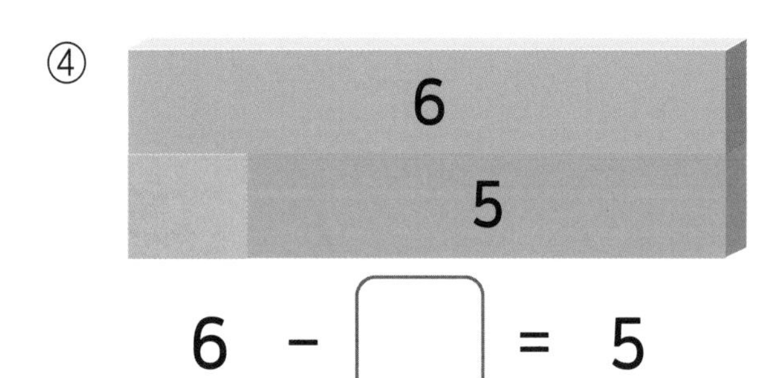

6 − □ = 5

⑤
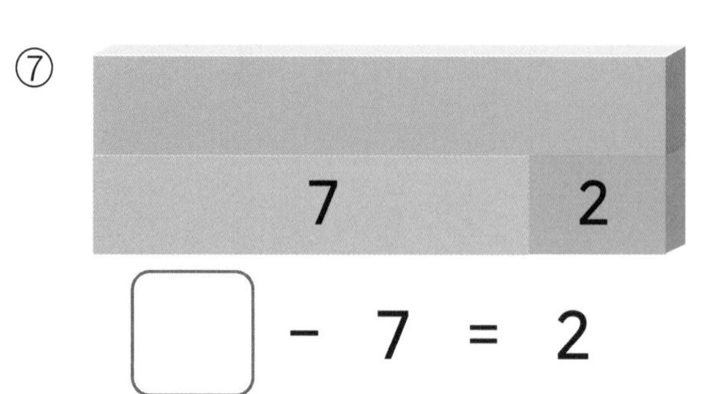

7 − □ = 3

⑥
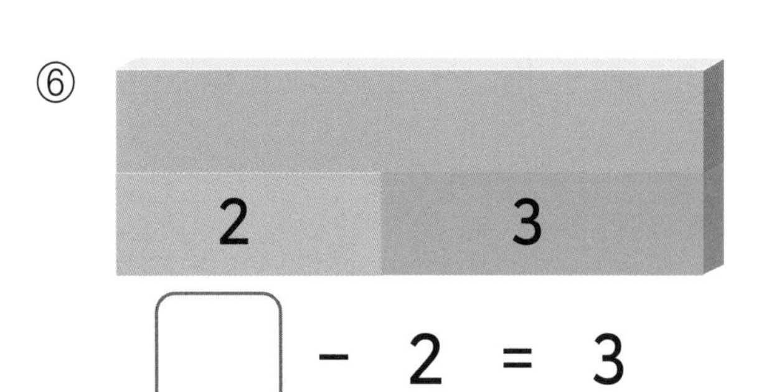

□ − 2 = 3

⑦

7 2

□ − 7 = 2

□ 구하기

공부한 날 월 일
점 수 / 14

□에 알맞은 수를 써넣으세요.

① $2 + \square = 5$

② $4 + \square = 9$

③ $3 + \square = 7$

④ $2 + \square = 8$

⑤ $\square + 1 = 3$

⑥ $\square + 2 = 4$

⑦ $\square + 2 = 6$

⑧ $\square - 3 = 2$

⑨ $\square - 4 = 4$

⑩ $\square - 1 = 3$

⑪ $8 - \square = 2$

⑫ $9 - \square = 4$

⑬ $5 - \square = 1$

⑭ $7 - \square = 3$

MEMO

 1000math.com

홈페이지

· 천종현수학연구소 소개 및 학습 자료 공유
· 출판 교재, 연구소 굿즈 구입

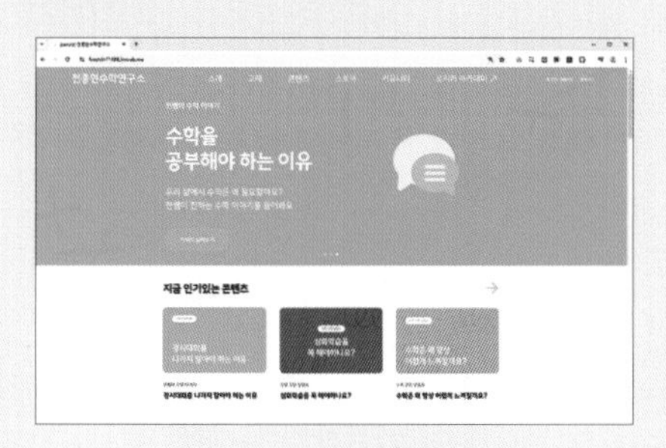

 cafe.naver.com/maths1000

네이버카페

· 다양한 이벤트 및 '천쌤수학학습단' 진행
· 학습 상담 게시판 운영

 https://www.instagram.com/1000maths

인스타그램

· 수학고민상담소 '천쌤에게 물어보셈' 릴스 보기
· 가장 빠르게 만나는 연구소 소식 및 이벤트

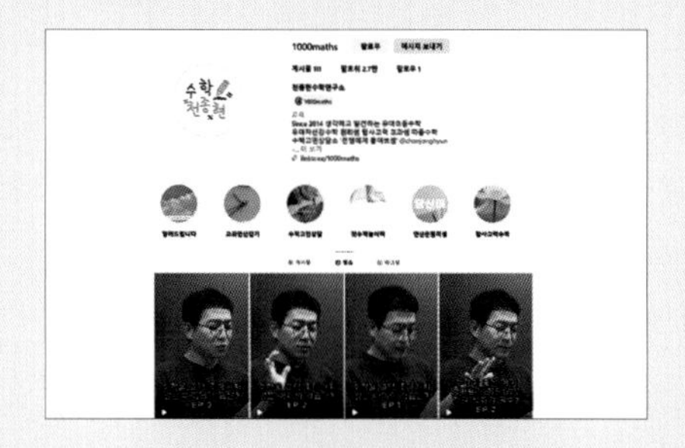

 https://www.youtube.com/@1000math4U

유튜브

· 인스타 라이브방송 '천쌤에게 물어보셈' 다시 보기
· 고민 상담 사례 및 수학교육 기획 콘텐츠

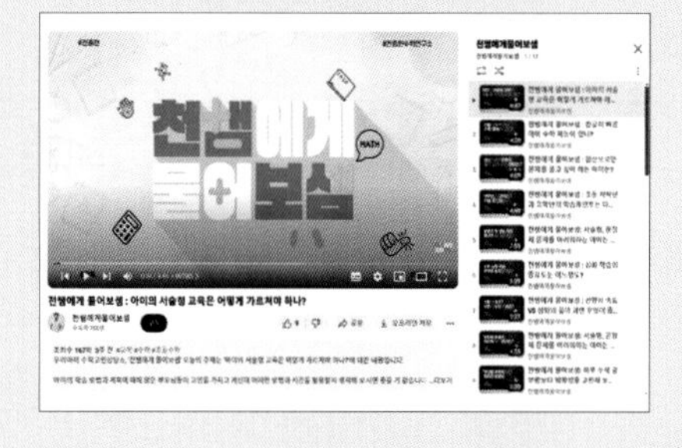

천종현수학연구소는
유아 초등 수학 교재와 **콘텐츠**를 꾸준히 **개발**하고 있습니다. 네이버에 **'천종현수학연구소'**를 검색하시거나 **인스타그램**, **유튜브** 등 다양한 채널을 통해서도 **연산**과 **사고력 수학**, **교과 심화 학습**에 대한 **노하우**와 **정보**를 다양하게 제공합니다. 지금 바로 만나보세요.

SINCE **2014**

천종현수학연구소 출판 교재

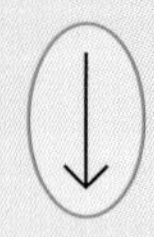

01
유아 자신감 수학

썼다 지웠다 붙였다 뗐다
우리 아이의 첫 수학 교재

02
TOP 사고력 수학

실력도 탑! 재미도 탑!
사고력 수학의 으뜸

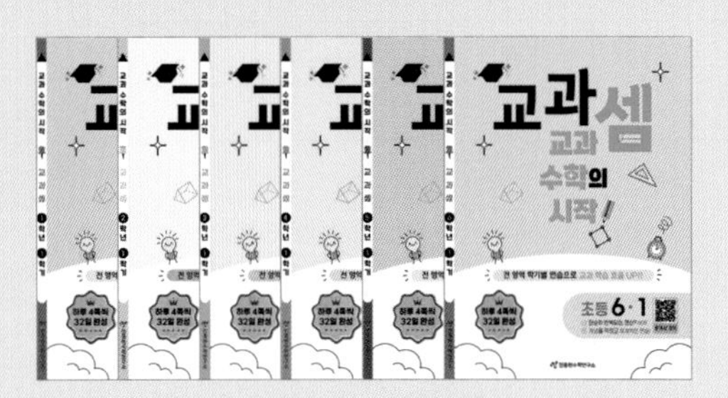

03
교과셈

사칙연산+도형, 측정, 경우의 수까지
반복 학습이 필요한 초등 연산 완성

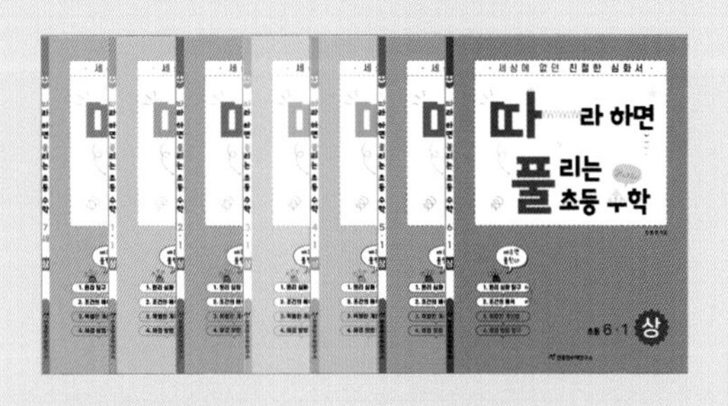

04
따풀 수학

다양한 개념과 해결 방법을 배우는
배움이 있는 학습지

05
초등 사고력 수학의 원리/전략

진정한 수학 실력은 원리의 이해와 문제 해결 전략에서
재미있게 읽는 17년 초등 사고력 수학의 노하우!!

하루 10분

|단계별 유아 원리 연산|

키즈 수학 전문가가 만든 연산 교재

키즈 원리셈

천종현 지음

정답

예비 초등 7·8 세 | 3 권 | 덧셈과 뺄셈

천종현수학연구소

1주차 - 두 수의 덧셈

10쪽

① 5, 3
② 6, 1 ③ 4, 2
④ 1, 7 ⑤ 3, 5
⑥ 2, 5 ⑦ 4, 5

11쪽

① 4, 3 ② 4, 1
③ 6, 2 ④ 5, 2
⑤ 2, 2 ⑥ 1, 6

12쪽

① 1, 0 ② 0, 5
③ 0, 3 ④ 4, 0
⑤ 2, 0 ⑥ 0, 1

13쪽

① 5
② 5 ③ 6
④ 7 ⑤ 3

14쪽

① 6 ② 4
③ 8 ④ 6
⑤ 3 ⑥ 7

15쪽

① 9
② 8 ③ 4
④ 9 ⑤ 8

16쪽

① 6 ② 4
③ 3 ④ 7
⑤ 9 ⑥ 8
⑦ 6 ⑧ 9
⑨ 8 ⑩ 7
⑪ 8 ⑫ 9
⑬ 5 ⑭ 6

17쪽

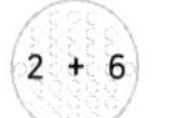

3 6 8 9

2 3 4 5

3 + 3

2 5 6 8

5 + 0

3 5 7 9

1 + 3

4 5 6 8

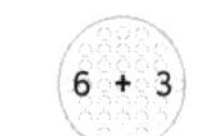

3 5 6 9

18쪽

① 7
② 8 ③ 6
④ 7 ⑤ 5
⑥ 6 ⑦ 9

19쪽

① 8 ② 7
③ 8 ④ 6
⑤ 4 ⑥ 9
⑦ 2 ⑧ 4

20쪽

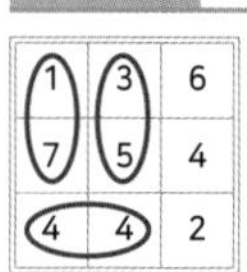

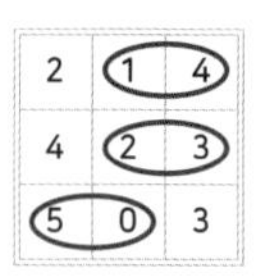

21쪽

① 2+2=4, 4

22쪽

① 3+4=7, 7
② 3+5=8, 8

23쪽

① 7+2=9, 9
② 4+4=8, 8
③ 2+1=3, 3

24쪽

① 6+2=8, 8
② 3+2=5, 5
③ 3+4=7, 7

2주차 - 두 수의 뺄셈

26쪽

① 4
② 3 ③ 4
④ 2 ⑤ 1
⑥ 4 ⑦ 2

27쪽

① 2
② 1 ③ 5
④ 2 ⑤ 2

28쪽

① 5, 0 ② 1, 1
③ 8, 0 ④ 6, 6
⑤ 2, 2 ⑥ 7, 0
⑦ 9, 9 ⑧ 4, 0

29쪽

① 4, 3
② 2, 2 ③ 6, 0
④ 5, 4 ⑤ 2, 6
⑥ 2, 5 ⑦ 3, 6

30쪽

① 8, 6, 2 ② 9, 1, 8
③ 4, 0, 4 ④ 7, 1, 6
⑤ 5, 4, 1 ⑥ 8, 4, 4
⑦ 2, 2, 0 ⑧ 9, 8, 1

31쪽

① 2 ② 5
③ 5 ④ 1
⑤ 2 ⑥ 3

32쪽

① 5 ② 4
③ 3 ④ 1
⑤ 0 ⑥ 3
⑦ 4 ⑧ 4
⑨ 1 ⑩ 3
⑪ 4 ⑫ 0
⑬ 2 ⑭ 5

33쪽

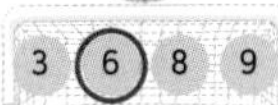

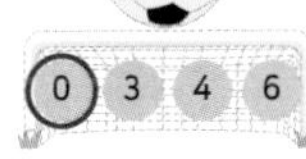

5 6 7 8

34쪽

① 9 ② 7 ③ 6

④ 3 ⑤ 5 ⑥ 0 ⑦ 4 ⑧ 1

35쪽

① 5 ② 3 ③ 4 ④ 4

⑤ 2 ⑥ 2 ⑦ 1 ⑧ 5 ⑨ 0

36쪽

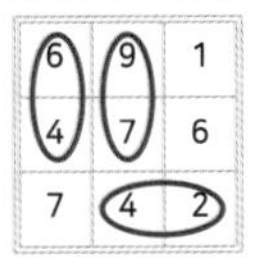

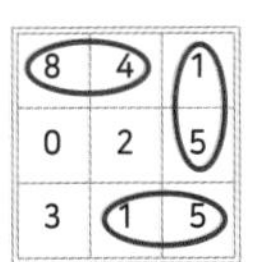

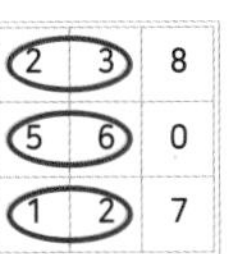

37쪽

① 7-4=3, 3

38쪽

① 7-3=4, 4

② 8-2=6, 6

39쪽

① 9-2=7, 7

② 5-3=2, 2

③ 3-3=0, 0

40쪽

① 6-3=3, 3

② 8-3=5, 5

③ 5-4=1, 1

3주차 - 도전! 계산왕

42쪽

① 4, 3

② 3, 2 ③ 4, 4

④ 1, 5 ⑤ 2, 2

⑥ 2, 4 ⑦ 5, 4

43쪽

① 5 ② 9

③ 6 ④ 4

⑤ 9 ⑥ 5

⑦ 3 ⑧ 2

⑨ 3 ⑩ 5

⑪ 2 ⑫ 0

⑬ 3 ⑭ 8

44쪽

① 5

② 7 ③ 8

④ 8 ⑤ 7

45쪽

① 7 ② 6
③ 5 ④ 8
⑤ 9 ⑥ 4
⑦ 8 ⑧ 2
⑨ 4 ⑩ 4
⑪ 3 ⑫ 2
⑬ 3 ⑭ 5

46쪽

① 2
② 4 ③ 1
④ 3 ⑤ 2
⑥ 4 ⑦ 3

47쪽

① 8 ② 4
③ 8 ④ 8
⑤ 9 ⑥ 6
⑦ 2 ⑧ 2
⑨ 5 ⑩ 5
⑪ 7 ⑫ 3
⑬ 3 ⑭ 3

48쪽

① 4 ② 1
③ 5 ④ 3
⑤ 2 ⑥ 2

49쪽

① 9 ② 6
③ 1 ④ 5
⑤ 9 ⑥ 8
⑦ 3 ⑧ 8
⑨ 1 ⑩ 2
⑪ 0 ⑫ 2
⑬ 1 ⑭ 5

50쪽

① 7, 3, 4
② 6, 1, 5 ③ 8, 2, 6
④ 7, 4, 3 ⑤ 9, 5, 4
⑥ 5, 0, 5 ⑦ 7, 6, 1

51쪽

① 9 ② 4
③ 9 ④ 8
⑤ 7 ⑥ 6
⑦ 4 ⑧ 6
⑨ 5 ⑩ 1
⑪ 9 ⑫ 0
⑬ 4 ⑭ 1

54쪽

① 3, 8
5, 8

② 5, 6
1, 6

③ 0, 6
6, 6

④ 2, 9
7, 9

⑤ 3, 5
2, 5

55쪽

① 1+6=7
6+1=7

② 2+6=8
6+2=8

③ 1+3=4
3+1=4

④ 5+4=9
4+5=9

⑤ 3+0=3
0+3=3

56쪽

① 3+4=7
4+3=7

② 4+2=6
2+4=6

③ 3+6=9
6+3=9

④ 3+1=4
1+3=4

⑤ 1+7=8
7+1=8

⑥ 5+0=5
0+5=5

57쪽

① 2, 3
3, 2

② 8, 1
1, 8

③ 2, 4
4, 2

58쪽

① 8-6=2
8-2=6

② 9-3=6
9-6=3

③ 8-1=7
8-7=1

④ 6-2=4
6-4=2

59쪽

① 7-4=3
7-3=4

② 9-4=5
9-5=4

③ 6-1=5
6-5=1

④ 8-2=6
8-6=2

⑤ 5-1=4
5-4=1

60쪽

① 3, 7
4, 7

② 2, 6
4, 6

③ 2, 5
3, 5

61쪽

① 3+4=7
4+3=7

② 6+2=8
2+6=8

③ 7+2=9
2+7=9

④ 1+5=6
5+1=6

62쪽

① 2+5=7
5+2=7

② 5+4=9
4+5=9

③ 1+4=5
4+1=5

④ 3+5=8
5+3=8

⑤ 4+2=6
2+4=6

63쪽

① 4+3=7 7-4=3
② 6+2=8 8-6=2
③ 5+4=9 9-5=4

64쪽

① 5+1=6 1+5=6 6-5=1 6-1=5
② 0+7=7 7+0=7 7-0=7 7-7=0
③ 3+2=5 2+3=5 5-3=2 5-2=3
④ 1+3=4 3+1=4 4-1=3 4-3=1
⑤ 6+0=6 0+6=6 6-6=0 6-0=6

65쪽

① 5+2=7 2+5=7 7-5=2 7-2=5
② 3+6=9 6+3=9 9-3=6 9-6=3
③ 2+1=3 1+2=3 3-2=1 3-1=2
④ 4+2=6 2+4=6 6-4=2 6-2=4
⑤ 6+2=8 2+6=8 8-6=2 8-2=6
⑥ 1+4=5 4+1=5 5-1=4 5-4=1

66쪽

① 5, 8 3, 8 8, 5 8, 3
② 6, 7 1, 7 7, 6 7, 1
③ 0, 5 5, 5 5 5, 0

67쪽

① 4+5=9 5+4=9 9-4=5 9-5=4
② 6+2=8 2+6=8 8-6=2 8-2=6
③ 1+5=6 5+1=6 6-1=5 6-5=1

68쪽

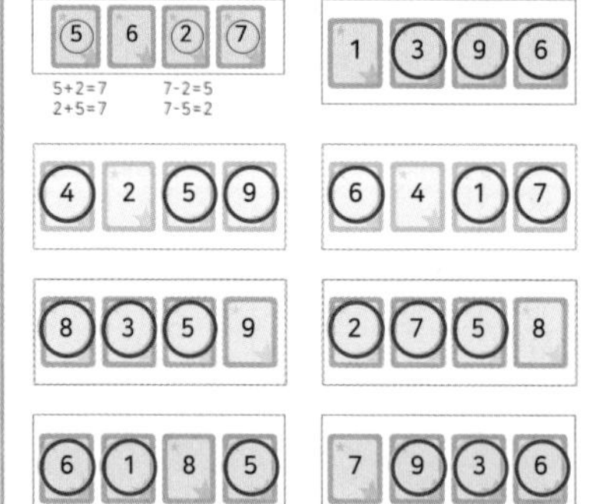

5주차 - □가 있는 덧셈식과 뺄셈식

70쪽

① □+4=5
② □+6=7
③ □+2=4
④ 1+□=6
⑤ 4+□=6
⑥ 2+□=6

71쪽

① 5-□=1
② 9-□=3
③ 4-□=2
④ 5-□=5
⑤ 6-□=3

72쪽

① 6
② 2
③ 2
④ 3
⑤ 2

73쪽

① 1
② 2
③ 4
④ 3
⑤ 1

74쪽

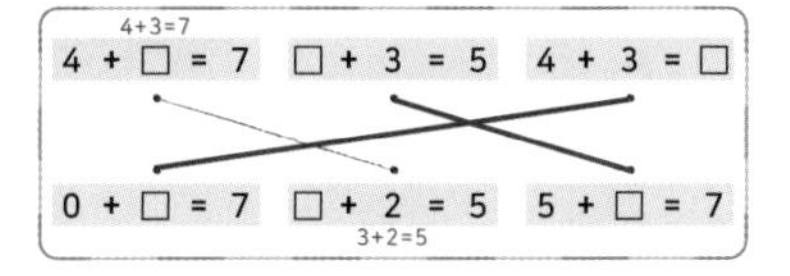

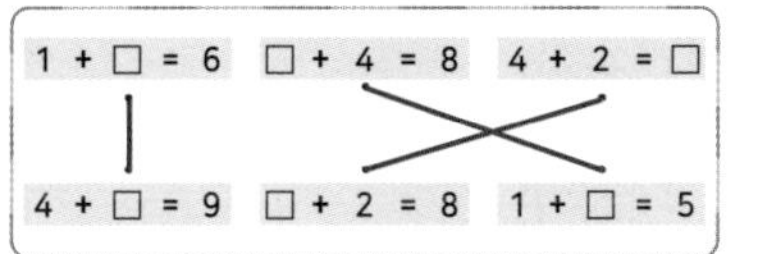

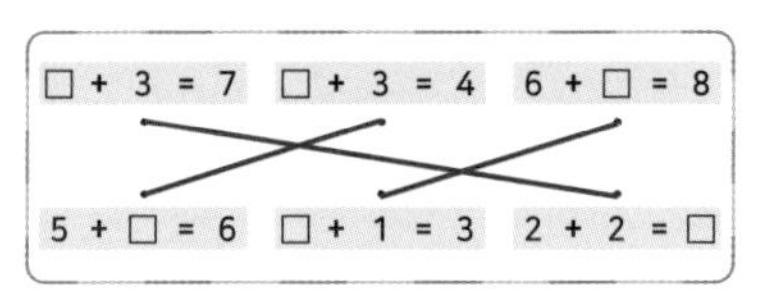

75쪽

① 6
② 5 ③ 8
④ 7 ⑤ 6

76쪽

① 3
② 3 ③ 4
④ 1 ⑤ 2

77쪽

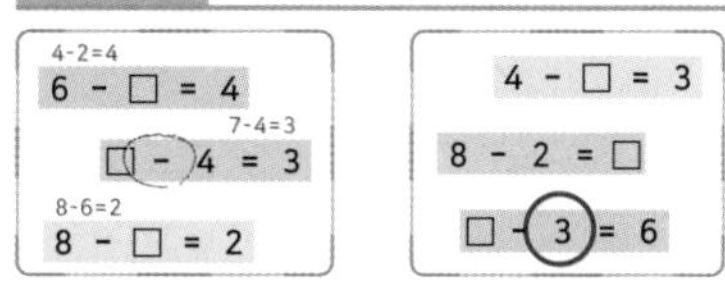

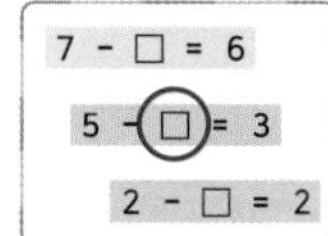

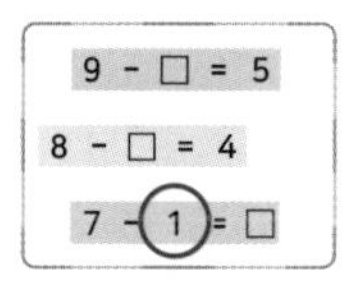

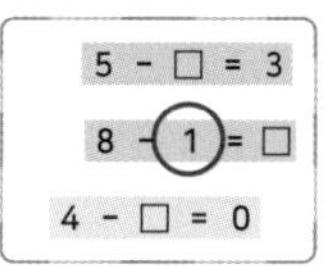

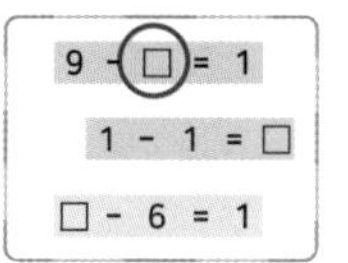

78쪽

① 3, 3
② 2, 2
③ 6, 6
④ 4, 4
⑤ 3, 3

79쪽

① 2, 2
② 7, 7
③ 5, 5
④ 7, 7
⑤ 9, 9

80쪽

① 6
② 3 ③ 1
④ 1 ⑤ 5
⑥ 7 ⑦ 8

81쪽

① 2+□=3, 1

82쪽

① 2+□=6, 4
② 8-□=2, 6

83쪽

① 6+□=8, 2
② 7-□=2, 5
③ 5-□=4, 1

84쪽

① 3+□=7, 4
② 7-□=4, 3
③ 4+□=9, 5

6주차 - 도전! 계산왕

86쪽

① □+3=4
② □+5=6 ③ □+4=7
④ 2+□=5
⑤ 1+□=7 ⑥ 4+□=6

87쪽

① 2 ② 5
③ 2 ④ 2
⑤ 4 ⑥ 2
⑦ 6 ⑧ 6
⑨ 9 ⑩ 8
⑪ 4 ⑫ 7
⑬ 3 ⑭ 2

88쪽

① 4-□=1
② 9-□=6 ③ 8-□=3
④ 3-□=1 ⑤ 6-□=6

89쪽

① 5 ② 2
③ 4 ④ 2
⑤ 2 ⑥ 2
⑦ 6 ⑧ 6
⑨ 9 ⑩ 8
⑪ 4 ⑫ 7
⑬ 3 ⑭ 2

90쪽

① //, 2
② ////, 4 ③ /////, 5
④ //////, 6 ⑤ /, 1

91쪽

① 4 ② 3
③ 2 ④ 3
⑤ 4 ⑥ 6
⑦ 3 ⑧ 7
⑨ 4 ⑩ 6
⑪ 4 ⑫ 2
⑬ 3 ⑭ 6

92쪽

① /////, 5
② ////////, 8 ③ //////, 6
④ ///////, 7 ⑤ /////////, 9

93쪽

① 1 ② 4
③ 4 ④ 4
⑤ 3 ⑥ 5
⑦ 1 ⑧ 4
⑨ 8 ⑩ 6
⑪ 4 ⑫ 4
⑬ 5 ⑭ 7

94쪽

① 3
② 4 ③ 2
④ 1 ⑤ 4
⑥ 5 ⑦ 9

95쪽

① 3 ② 5
③ 4 ④ 6
⑤ 2 ⑥ 2
⑦ 4 ⑧ 5
⑨ 8 ⑩ 4
⑪ 6 ⑫ 5
⑬ 4 ⑭ 4

총괄 테스트 정답

총괄 테스트

이름 점수

01 □에 알맞은 수를 써넣으세요.

4 + 3 = [7]

3 + 6 = [9]

02 덧셈식을 보고 쓰여 있는 식과 다른 뺄셈식을 만들어 보세요.

6 + 2 = 8

식: 8 - 2 = 6

식: 8-6=2

03 □에 알맞은 수를 써넣으세요.

2 + [7] = 9

[2] + 3 = 5

04 문제를 읽고 알맞은 식과 답을 써 보세요.

놀이터에 미끄럼틀을 타는 아이들이 3명, 시소를 타는 아이들이 4명입니다. 미끄럼틀과 시소를 타는 아이들은 몇 명일까요?

식: 3+4=7

답: 7 명

05 □에 알맞은 수를 써넣으세요.

9 - 1 = [8]

8 - 4 = [4]

06 뺄셈식을 보고 쓰여 있는 식과 다른 덧셈식을 만들어 보세요.

7 - 3 = 4

식: 4 + 3 = 7

식: 3+4=7

07 □에 알맞은 수를 써넣으세요.

[6] - 4 = 2

5 - [4] = 1

08 문제를 읽고 알맞은 식과 답을 써 보세요.

긴 의자에 9명이 앉아 있다가 2명이 일어나 집에 갔습니다. 의자에 남아 있는 사람은 몇 명일까요?

식: 9-2=7

답: 7 명

09 □에 알맞은 수를 써넣으세요.

2 + 6 = [8]

8 + 0 = [8]

10 덧셈식을 보고 쓰여 있는 식과 다른 뺄셈식을 만들어 보세요.

1 + 5 = 6

식: 6 - 5 = 1

식: 6-1=5

11 □에 알맞은 수를 써넣으세요.

3 + [5] = 8

[0] + 7 = 7

12 문제를 읽고 알맞은 식과 답을 써 보세요.

동물원에 펭귄이 6마리, 코끼리가 2마리 있습니다. 동물원에 있는 펭귄과 코끼리는 모두 몇 마리일까요?

식: 6+2=8

답: 8 마리

13 □에 알맞은 수를 써넣으세요.

5 - 3 = [2]

7 - 4 = [3]

14 뺄셈식을 보고 쓰여 있는 식과 다른 덧셈식을 만들어 보세요.

8 - 2 = 6

식: 6 + 2 = 8

식: 2+6=8

15 □에 알맞은 수를 써넣으세요.

[1] - 1 = 0

9 - [2] = 7

16 문제를 읽고 알맞은 식과 답을 써 보세요.

피자가 8조각 있었는데 어머니와 함께 3조각을 먹었습니다. 남은 피자는 몇 조각일까요?

식: 8-3=5

답: 5 조각

KIDS 키즈 수학 전문가가 만든 연산 교재

원리셈

세분화된 원리 학습

다양한 유형의 연습

충분한 연습

성취도 확인

- 마술 같은 논리 수학 매직

전 영역에 걸쳐 균형 있는 논리력, 문제해결력 기르기

- 생각하고 발견하는 수학 로지카

최고 수준 학습을 위한 사고력, 문제해결력 기르기

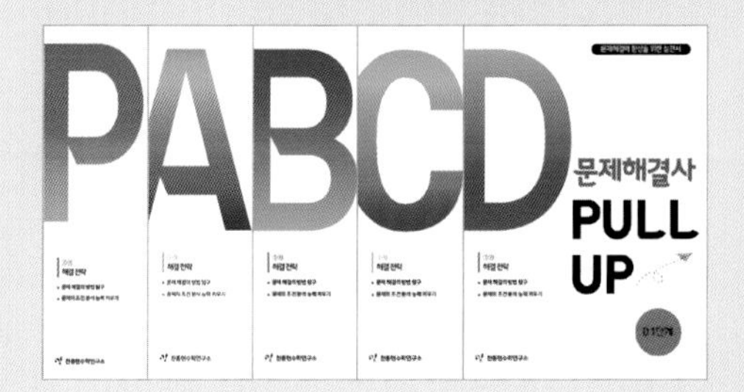

- 문제해결력 향상을 위한 실전서
문제해결사 PULL UP

학년별 실전 고난도 문제해결을 위한 브릿지 학습

천종현수학연구소의 학원 프로그램, 로지카 아카데미

"수학으로 세상을 다르게 보는 아이로!"
"생각하고 발견하는 수학, **로지카 아카데미**에서 시작하세요."

20년 차 수학교육전문가 천종현 소장과 함께 생각하는 힘을 기를 수 있는 곳, 로지카 아카데미입니다. 생각하고 발견하는 수학을 통해 아이들은 새로운 세상을 만나게 될 것입니다. 오늘부터 아이의 수학 여정을 로지카 아카데미와 함께하세요.

▶ ▷ ▷ ▷ **로지카 아카데미** www.logicaedu.kr

천종현수학연구소의 교재 흐름도

	4세	5세	6세	7세	초1
출판 교재					
유자수 · 탑사고력	만 3세	만 4세	만 5세	K단계	P단계
원리셈		5, 6세	6, 7세	7, 8세	초등 1
교과셈					초등 1
따풀				7세	초등 1
학원 교재					
매직 · 로지카			K단계	P단계	A단계
풀업				P단계	A단계